8¹⁰/CP

DENNIS ENGBRECHT
RUSSIAN 181
SUMMER 1978
SUMMER 1982

Reading and Translating
CONTEMPORARY RUSSIAN

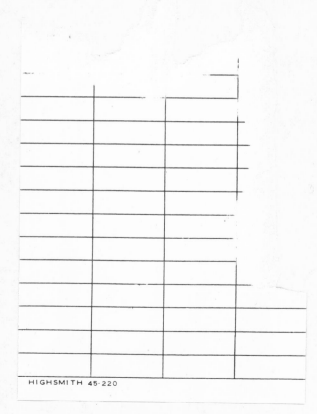

HIGHSMITH 45-220

HORACE W. DEWEY
University of Michigan
JOHN MERSEREAU, JR.
University of Michigan

Reading and Translating
CONTEMPORARY RUSSIAN

NTC *NATIONAL TEXTBOOK COMPANY* • *Skokie, Illinois 60076*

1976 Printing

Copyright © 1963 by National Textbook Co.,
8259 Niles Center Rd., Skokie, Ill. 60076
All rights reserved, including those to
reproduce this book or parts thereof in any form.
Manufactured in the United States of America.

6 7 8 9 0 EB 9 8 7 6 5 4 3 2 1

PREFACE

The aim of this book is to provide the student with sufficient knowledge of the Russian language to enable him to read and translate Russian texts accurately. As the work is not intended to be used for instruction in speaking and writing the language, it has been possible to eliminate or reduce much of the material normally included in conventional Russian grammars. This is, however, not a "simplified" approach to the Russian language: it includes all of the basic principles necessary for a student to proceed confidently to an independent reading of newspapers, journals, textbooks, and fiction.

The authors have chosen the materials which are included in accordance with what experience has shown to be the most necessary for the acquisition of a reading knowledge of Russian. Most of the constructions should be learned passively: that is, they should be studied until they can easily be recognized by the student. In order to facilitate this process, each succeeding lesson repeats certain points covered in the preceding ones. A systematic but rather painless review is thereby provided.

Experiments have shown that an active knowledge of certain principles is essential. For example, declensional endings must be learned actively, because absolutely correct identification of these is imperative to coherent translation.

The vocabulary has been selected with the intention of providing words and idioms basic to both science and humanities. Virtually all of the nonscientific words are of high incidence in Russian texts, as evidenced by the Josselson *Word Count*.* The more technical terms included have been chosen because experience has proved them to be widely used in scientific expository prose. Thus, for example, the word *equation* does not appear in the *Word Count*, but it does frequently appear in a wide range of scientific texts.

In composing the vocabulary, extensive use has been made of loan words, as these require little effort to learn. In a given lesson, words which are associated with ones learned in previous lessons are

* H. H. Josselson, *The Russian Word Count* (Detroit: Wayne University Press, 1953).

v

given in a special section of the vocabulary, so that memorization may be assisted by association. In so far as is possible, the vocabulary of one lesson will be further utilized in the exercises and texts of the subsequent lessons. This procedure will assist the student in acquiring a large passive vocabulary in the easiest possible way.

Each lesson is presented in sections. The first section is devoted to new vocabulary, divided into groups embracing new words, associated words, and loan words. Following the vocabulary are certain idioms or common phrases which occur with such frequency that they should be memorized. The section containing the grammar first presents simple statements of the principles under consideration, and these are followed by numerous examples. *Details of grammar needed for speaking or writing the language, but not necessary for a reading knowledge, have been ruthlessly eliminated.* The texts have been prepared or selected to provide further familiarization with the vocabulary and principles of that lesson and previous ones. The final section contains exercises designed to develop and strengthen a passive knowledge of the preceding material.

At a certain point in the book, when the student has acquired an elementary working knowledge of the language, he is ready to face examples of standard Russian prose. The so-called "Dictionary Practices" consist of selections taken without adaptation from Russian texts. The grammatical principles necessary to translate these correctly will already be familiar to the student and, by using any standard dictionary, he should be able to render these texts into English with little difficulty. As any student, even after finishing this course, will necessarily have to work with a dictionary until he acquires the vocabulary peculiar to his discipline, the "Dictionary Practices" will also train him to use a dictionary with speed and accuracy.

The authors do not intend to make any extravagant claims, for they fully realize that Russian, as any other language, requires diligence and time to master. However, the methods and materials embodied in this book have provided hundreds of students in over a score of disciplines with the basic knowledge of Russian needed to proceed to independent reading and translation. There is no reason why any normally intelligent student should not enjoy the same success.

HORACE WILLIAM DEWEY
JOHN MERSEREAU, JR.

University of Michigan

TABLE OF CONTENTS

MAY 14

MAY 15

MAY 18

MAY 19

JUNE 15

ix

x

INTRODUCTION

1. The Russian Alphabet

Print		Script		Name	Approximate pronunciation
А	а	*А*	*а*	ah	father
Б	б	*Б*	*б*	beh	boy
В	в	*В*	*в*	veh	vote
Г	г	*Г*	*г*	gheh	go
Д	д	*Д*	*д*	deh	day
Е	е	*Е*	*е*	yeh	yet and yet
Ё	ё	*Ё*	*ё*	yo	yawn and yawn
Ж	ж	*Ж*	*ж*	zheh	azure
З	з	*З*	*з*	zeh	zero
И	и	*И*	*и*	ee	peel
Й	й	*Й*	*й*	ee kratkoye	boy
К	к	*К*	*к*	kah	can't
Л	л	*Л*	*л*	ell	lamp
М	м	*М*	*м*	em	mat
Н	н	*Н*	*н*	en	not
О	о	*О*	*о*	oh	straw
П	п	*П*	*п*	peh	pot
Р	р	*Р*	*р*	err	three
С	с	*С*	*с*	ess	say
Т	т	*Т*	*т*	teh	toot
У	у	*У*	*у*	oo	boot
Ф	ф	*Ф*	*ф*	eff	fool
Х	х	*Х*	*х*	khah	Scotch loch
Ц	ц	*Ц*	*ц*	tseh	rats
Ч	ч	*Ч*	*ч*	cheh	cheese
Ш	ш	*Ш*	*ш*	shah	sham
Щ	щ	*Щ*	*щ*	shchah	fresh cherries
	ъ		*ъ*	tvyordy znak	(not pronounced)
	ы		*ы*	yerih	limb
	ь		*ь*	myakhky znak	(not pronounced)
Э	э	*Э*	*э*	eh	wet
Ю	ю	*Ю*	*ю*	yu	Yukon and Yukon
Я	я	*Я*	*я*	yah	yacht and yacht

xi

2. Palatalized and Unpalatalized Consonants

Most Russian consonants have two phonetic qualities: that is, they may be *unpalatalized* (hard) or *palatalized* (soft). To a limited extent, the same phenomenon occurs in English, where, for example, one can distinguish a difference in the manner of articulating *m* in the word *moot* from the *m* in *mute*. The *m* in *moot* is unpalatalized, or hard, whereas in *mute* a limited palatalization, or softening, of *m* takes place.

Palatalization occurs when a consonant has not only its non-palatalized articulation but, in addition, palatal articulation: that is, the tongue is arched toward the hard palate. In Russian the phenomenon of palatalization is more evident than in English and involves distinctions in meaning.

A consonant which can experience both hard and soft articulation will be palatalized if it is followed by the letters **я, е, и, ё, ю**, or **ь**. The consonant will not be palatalized if it is followed by the letters **а, э, ы, о, у** or **ъ**. Study the following scheme:

nonpalatalizing: **а э ы о у ъ**

palatalizing: **я е и ё ю ь**

Note that the difference between **ба** and **бя** is actually a difference in the consonantal sound rather than that of the vowel, which is, with only slight variation, sounded *ah* in both cases. It is incorrect to pronounce **бя** as if it were approximated by the English *bya*.

Five consonants have only one phonetic quality: **ж, ш**, and **ц** are never palatalized, irrespective of the letter following them; **ч** and **щ** are always palatalized.

The following syllables should be drilled until the student has achieved a satisfactory pronunciation. Drill should be both horizontal and vertical.

ба	ва	га	да	жа	за	ка	ла	ма	на	па	рэ	са	та	фа	ха	ца	ча	ша	ща
бе	ве	ге	де	же	зе	ке	ле	ме	не	пе	ре	се	те	фе	хе	це	че	ше	ще
би	ви	ги	ди	жи	зи	ки	ли	ми	ни	пи	ри	си	ти	фи	хи	ци	чи	ши	щи
бо	во	го	до	жо	зо	ко	ло	мо	но	по	ро	со	то	фо	хо	цо	чо	шо	що
бу	ву	гу	ду	жу	зу	ку	лу	му	ну	пу	ру	су	ту	фу	ху	цу	чу	шу	щу

A. **Е, ё, ю**, and **я** at the beginning of a word or following a vowel are pronounced approximately as *ye* in *yet*, *yaw* in *yawn*, *yu* in *Yukon*, and *ya* in *yacht*. Thus:

éсли	(*if*)	is approximately yé-slee
уéм	(*I shall bite*)	is approximately oo-yém
ёлка	(*fir tree*)	is approximately yáwl-ka

даёт	(*he gives*)	is approximately da-yáwt
ю́нкер	(*cadet*)	is approximately yún-ker
зна́ю	(*I know*)	is approximately zná-yu
я́ма	(*pit*)	is approximately yá-ma
буя́н	(*rowdy*)	is approximately boo-yán

Unaccented **е** and **я** at the beginning of a word or following a vowel retain the *y- element*, but the pronunciation of the vowel sound varies as indicated in Section 4 of this chapter.

B. **Й** joins with a preceding vowel to form diphthongs:

май	May	бе́-лый	white
му-зе́й	museum	ге́-ний	genius
до-мо́й	homewards	тан-цу́й	dance!
та́й-на	secret	бо́й-кий	adroit

C. **Ь** (*soft sign*) has no sound itself but usually indicates that the preceding consonant is palatalized:

    ось axis   то́ль-ко only   ма́-лень-ка-я small

A vowel which follows **ь** will be pronounced as if it were in the initial position of a word.

    льёт he pours   пье́-са play   чьей of whose

D. **Ъ** (*hard sign*) appears in Russian words following a prefix and then only before the letters **е, ё, ю** and **я**. Normally it indicates that the final consonant of the prefix is unpalatalized; the vowel which follows **ъ** is then pronounced as if it were in the initial position of a word.

    отъ-е́зд departure   объ-я-сня́ть to explain

However, following the prefixes **с-, из-**, and **раз-**, the **ъ** has the same value as **ь**.

    съел he ate up   разъ-е́зд departure

In some texts the **ъ** is replaced by an apostrophe.

3. Syllabification

The number of vowels in a word determines the number of syllables.

One vowel	**тут** (here), **он** (he), **я** (I), **и** (and), **нет** (no)
Two vowels	**жур-на́л** (journal), **ла́м-па** (lamp), **е-ё** (her)
Three vowels	**а́л-ге-бра** (algebra), **при-ём-ник** (receiver)
Others	**тем-пе-ра-ту́-ра** (temperature), **ко-ор-ди-на́-та** (coordinate)

Most syllables end in vowels. When two or more letters occur between vowels, the last letter of the group forms part of the following syllable. However, the combinations ст-, стр-, бл- and some others are always pronounced with the following vowel: та-бли́-ца.

4. Stressed and Unstressed Vowels

The student should be aware that the sound of a vowel varies according to whether the vowel occurs in an *accented* or *nonaccented* syllable. The following chart concerns only those vowels for which this change critically affects pronunciation. The examples do not include all variations.

Vowel	Pre-stress	Stress	Post-stress
o	like **a** (*pr. a* as in *father*) от-де́л о-ди́н о-те́ц	like *aw* in *straw* ра-бо́-тать но́-вый ко́л-ба	like *u* in *but* то́ль-ко ме́-сто го́-род
e	like **и** (*pr. ee* as in *peel*) пе-ре-во́д те-ле-фо́н	like the first *e* in *every* и-ме́л accented **e** between palatalized consonants is like *a* in *ate* день смо-тре́ть	like **и** (*pr. ee* as in *peel*) кни́-ге о́-пы-те мо́-ре
я	like **и** (*pr. ee* as in *peel*) вя-за́ть тя-жё-лый	like *a* as in *father* взял вя́-лый	like *u* in *but* чи-та́-я ми́-ла-я

5. Voiced and Voiceless Consonants

Good pronunciation also depends upon the student's ability to distinguish between the so-called "voiced" and "voiceless" consonants, which occur in pairs as indicated.

voiced: **б**   **в**   **г**   **д**   **ж**   **з**

voiceless: **п**   **ф**   **к**   **т**   **ш**   **с**

The only difference between the paired consonants is that in pronouncing a voiced consonant the vocal chords are employed, whereas in pronouncing a voiceless one the vocal chords do not vibrate. Thus, for example, **б** and **п** are formed in exactly the same way, except that in the case of **б** the vocal chords are activated. The student can confirm this by lightly touching his throat during the articulation of both consonants. He will feel a slight buzzing of the vocal chords when pronouncing the voiced consonants.

The distinction is important because, irrespective of spelling, a paired voiced consonant may not be pronounced at the end of a word. In fact, when a voiced consonant is in *final* position, it must be replaced when pronouncing the word by the voiceless counterpart. Thus:

ду**б**	(*oak*)	is pronounced ду**п**
готó**в**	(*ready*)	is pronounced готó**ф**
ю**г**	(*south*)	is pronounced ю**к**
го**д**	(*year*)	is pronounced го**т**
но**ж**	(*knife*)	is pronounced но**ш**
га**з**	(*gas*)	is pronounced га**с**

Further, when two or more consonants occur in sequence, if the last member of the sequence is voiced, then the whole cluster is voiced; if the last member is unvoiced, then the whole cluster is pronounced unvoiced. Thus:

всё	(*everything*)	is pronounced **ф**сё
всегдá	(*always*)	is pronounced **ф**сегдá
тá**к**же	(*also*)	is pronounced тá**г**же
лó**д**ка	(*boat*)	is pronounced лó**т**ка

Exception: **в** does not affect a preceding voiceless consonant: т**в**ой (*thy*).

6. Pronunciation Drill

The student should now practice pronunciation with the minimal pairs below. Each pair differs only with respect to one consonant sound (which varies in accordance with features explained in Section 2 above).

бы**т**	every-day life	пы**л**	ardor
би**т**	beaten	пи**л**	he drank
бы**т**	every-day life	пы**л**	ardor
бы**ть**	to be	пы**ль**	dust

был	he was	был	he was
быль	real event	бил	he beat
ныть	to whine	то́лка	of the meaning
нить	thread	тёлка	heifer
мал	little	мать	mother
мял	he rumpled	мять	to rumple
выть	to howl	вон	there
вить	to twist	вонь	stench
нов	new	пар	steam
новь	virgin soil	парь!	steam!
рад	pleased	сам	oneself
ряд	row	сям	there
снос	demolition	вал	moat
снёс	he demolished	вял	he faded
слыть	to be known as	ра́ню	I wound
слить	to pour together	ра́нью	at an early time
лют	fierce	сел	he sat down
льют	they pour	съел	he ate up

7. Example of Russian Script

Основны́ми о́рганами нау́чно-иссле́довательской рабо́ты Акаде́мии Нау́к явля́ются её иссле́довательские институ́ты.

FIRST LESSON

Слова́рь (Vocabulary)

вре́мя *neut*	time	си́ний	blue
где ~~neut~~	where	слова́рь (*m.*)	vocabulary, dictionary
да	yes		
здесь	here	сло́жный	complex
есть	is, there is, there are	слу́чай	case
и	and	спу́тник	satellite
ка́лий *mas.*	potassium (*noun*)	там	there
кни́га *fem*	book	тру́дный	difficult
не	not	уро́к	lesson
нет	no	что (*pr.* што)	(*pr. & conj.*) what, that
но́вый	new		
пе́рвый	first	э́то	this, it is, those are, these are, that is
пла́мя *neut.*	flame		
приме́р *masc.*	example		
ра́нний *m*	early		

Loan Words

аппара́т *mas.*	apparatus	ра́дий *mas*	radium (*noun*)
а́том *mas*	atom	ра́дио *neu.*	radio
грамма́тика *fem*	grammar	раке́та *fem.*	rocket
журна́л *mas.*	journal, magazine	систе́ма *fem.*	system
ла́мпа *fem.*	lamp	текст *masc.*	text
интере́сный	interesting		

Note: Accents are given to assist the reader in pronouncing the words correctly. They do not appear in printed or written materials.

Грамма́тика (Grammar)

1-A. Articles

Definite and indefinite articles (*the, a, an*) do not exist in Russian. Thus:

> **раке́та** means *the rocket, a rocket,* and *rocket.*

NOUN GENDER

The reader will be able to tell by the context whether his translation requires a definite or indefinite article or no article at all.

1-B. Use of Verb "to be"

Normally the verb *to be* is not used in the present tense. Its absence is usually indicated by a dash, though not invariably.

Журна́л—там.	The magazine is there.
Журна́л и кни́га там.	The magazine and book are there.

The present tense of the verb *to be* is still used in the third person (**есть**) in such constructions as the following:

Здесь **есть** ла́мпа? **Есть**.   *Is there* a lamp here? *There is.*

1-C. Genders of Nouns

There are three genders of Russian nouns: *masculine, feminine* and *neuter*. (They are arranged below according to basic declensional patterns for each gender.)

1. Masculine nouns end:

   a. in a *consonant*, in **-ь**, and in **-й**.

а́том *atom*	автомоби́ль *automobile*	ра́дий *radium*
аппара́т *apparatus*	слова́рь *vocabulary*	ка́лий *potassium*
журна́л *magazine*		слу́чай *case*

2. Feminine nouns end:

   a. in **-а** and **-я** and in **-ь**.

раке́та *rocket*	земля́ *earth*	смесь *mixture*
систе́ма *system*	тео́рия *theory*	ночь *night*

3. Neuter nouns end:

   a. in **-о, -е,** and **-ё,*** and

ме́сто *place*	по́ле *field*	сырьё *raw material*
ра́дио *radio*	мо́ре *sea*	
	уравне́ние *equation*	

   b. in **-мя.**

   пла́мя *flame*   вре́мя *time*

1-D. Cases

There exist six cases in Russian: *nominative, genitive, dative, accusative, instrumental,* and *prepositional* (locative). The declensional endings of nouns and adjectives vary in accordance with the

---

* The accent will almost invariably be on **ё**.

cases in which they appear, as determined by the rules of grammar. The *nominative* case is discussed in this lesson.

1-E. Nominative Case of Nouns

In the sentence **Журнáл—тут,** the word **журнáл** is in the nominative case, because it is the subject of the sentence.

In the sentence **Аппарáт тут—рáдио,** both *apparatus* and *radio* are in the nominative case, because the former is the subject and the latter the predicate noun.

(In vocabularies, nouns and adjectives always appear in the nominative case.)

1-F. Nominative Adjectival Endings

Adjectives must agree in number, gender, and case with the nouns they modify. An *adjective* consists of a *stem plus* a masculine, feminine, or neuter *ending*, depending upon the gender of the word it modifies:

1. *Masculine adjectival endings*

hard   *a.* **-ый** and **-óй**   Examples: нóв**ый**, трýдн**ый**, прост**óй**

The **-óй** ending is always accented.

soft   *b.* **-ий**   Examples: сú**ний**, рáн**ний**

Note the *soft* stem consonant.

2. *Feminine adjectival endings*

hard   *a.* **-ая**   Examples: нóв**ая**, трýдн**ая**, прост**áя**
soft   *b.* **-яя**   Examples: сú**няя**, рáн**няя**

Note: The **-яя** ending is the feminine counterpart of the masculine ending **-ий**.

3. *Neuter adjectival endings*

hard   *a.* **-ое**   Examples: нóв**ое**, трýдн**ое**, прост**óе**
soft   *b.* **-ее**   Examples: сú**нее**, рáн**нее**

Note: The **-ее** ending will be found on neuter forms corresponding to masculine and feminine types *b* above.

4. *Adjectives with hard and soft endings.* Adjectives with endings of type *a* above are often called *hard stem* adjectives, whereas those of type *b* above are called *soft stem* adjectives. Adjectives with stems ending in **г-, к-, х-** require special attention: their *masculine*

nominative ending **-ий** does not mean that they belong to the *soft* stem category. Rather, the **-ий** ending is due to a spelling rule, which prohibits the combinations **гы, кы, хы**. See Appendix A. The feminine and neuter forms are **-ая** and **-ое**.

hard строгий   (strict)   and   строгая, строгое
hard русский   (Russian)   and   русская, русское
hard тихий   (quiet)   and   тихая, тихое

Adjectives with stems ending in **ж-, ч-, ш-, щ-** also require special attention due to spelling rules.

hard хороший   (good),   but   хорошая, хорошее
hard больший   (larger),   but   большая, большее
hard большой   (large),   but   большая, большое

5. In the following noun-adjective combinations, note that the gender of the adjective is always the same as that of the noun it modifies.

masc.	*fem*	*neut*
новый журнал	новая ракета	новое радио
трудный случай	трудная система	трудное время
синий журнал	синяя лампа	синее пламя

1-G. Position of Adjectives

Adjectives usually *precede* the nouns they modify.

Радио—**сложный** аппарат.   The radio is a *complex* apparatus.
Это **трудный** случай.   This is a *difficult* case.

Note the change in meaning when the adjective follows the noun.

Радио—**новое**.   The radio is *new*.
Пример—**трудный**.   The example is *difficult*.
Случай—**интересный**. The case is *interesting*.
Ракета—**сложная**.   The rocket is *complex*.

1-H. Negation

A sentence is negated by the use of the word **не** (*not*)

Это—**не** радио.   This is *not* a radio.
Аппарат—**не** спутник. The apparatus is *not* a satellite.

The same construction may be used with predicate adjectives:

Пример **не** трудный. The example is *not* a difficult one.
Ракета **не** сложная. The rocket is *not* a complex one.

1-I. Word Order in Interrogative Sentences

A simple affirmative statement can be changed into a question by adding a question mark (in speech the interrogative quality is indicated by raising the voice at the end of the sentence, as in English).

Ракéта—слóжная?	Is the rocket complex?
Кнúга—здесь?	Is the book here?
Э́то бóмба?	Is this a bomb?

Текст (Text)

Э́то—журнáл? Нет, э́то кнúга.

Э́то нóвая кнúга? Да, э́то нóвая и интерéсная кнúга. Э́то не трýдная кнúга.

Что э́то? Э́то лáмпа.

Где аппарáт? Аппарáт там.

Здесь ракéта? Нет, здесь рáдио.

Где спýтник? Спýтник здесь? Нет, спýтник там.

Что э́то? Э́то кáлий? Да, э́то кáлий.

Э́то рáдий? Нет, э́то не рáдий.

Э́то пéрвый урóк. Э́то трýдный урóк? Нет, э́то не трýдный урóк.

Э́то интерéсный примéр? Да, э́то интерéсный примéр.

А́том слóжный? Нет, áтом не слóжный.

Рáннее врéмя интерéсное? Да. Рáннее врéмя интерéсное врéмя.

Э́то слóжный слýчай? Нет, э́то не слóжный слýчай. Э́то интерéсный слýчай.

сложный

Упражнéния (Exercises)

A. Read **текст** aloud and translate it.

B. Write out **текст** in Russian.

C. Match the following adjectives and nouns in grammatically correct pairs. For example: **слóжная** (b) **систéма** (d)

1. a. сúнее n   d. систéма f   3. a. сúняя f   d. врéмя n
   b. слóжная f   e. аппарáт m   b. рáннее n   e. журнáл m
   c. нóвый m   f. плáмя n   c. интерéсный m f. лáмпа f

2. a. интерéсная f d. рáдио n   4. a. слóжный m   d. ракéта f
   b. нóвое n   e. примéр m   b. пéрвое n   e. слýчай m
   c. трýдный m   f. кнúга f   c. нóвая f   f. рáдио n

D. In each of the following four-word groups, pick out one word that does not belong in the group. Explain why it does not belong. In some cases it is possible to find more than one basis for selection.

noun 1. ка́лий *m.*   си́ний *adj.*   но́вый   тру́дный

adj. 2. си́няя *f*   пла́мя *n noun*   интере́сная   сло́жная

adj. 3. но́вое *n.*   (там) *m*   си́няя   сло́жный

noun 4. раке́та *f*   ла́мпа *f*   систе́ма   сло́жная

noun 5. ра́дий *m*   тру́дный *m*   ра́дио   приме́р

noun 6. журна́л   кни́га *f*   вре́мя   но́вый

pre adv 7. (где)   (э́то) *this is*   (здесь)   (там)

E. Answer the following questions in the negative (write out and translate).

1. Раке́та здесь?   2. Э́то тру́дный уро́к?   3. Э́то ра́ннее вре́мя?   4. "Time" но́вый журна́л?   5. Пе́рвый а́том—ка́лий? 6. Си́няя ла́мпа там?   7. Э́то интере́сный слу́чай?   8. Э́то сло́жный аппара́т?   9. "Анна Каренина"—но́вая кни́га?   10. Э́то тру́дная кни́га?   11. Э́то интере́сное вре́мя?   12. Но́вое ра́дио там?   13. Журна́л и кни́га здесь?   14. Спу́тник и раке́та там?

SECOND LESSON

Слова́рь (Vocabulary)

в (во) (+ *acc.*)	in, into, to	осма́тривать	to inspect
второй	second	па́дать	to fall
вы	you (*pl.*; used as polite form when addressing one person)	просто́й	simple
		ру́сский	(*adj. & noun, m.*)* Russian
говори́ть	to speak	сло́во	word
де́лать	to do, make	смесь (*f.*)	mixture
земля́ f	earth	тепе́рь	now
кто	who	ты	thou, you (used when addressing relatives, close friends or animals)
лета́ть	to fly		
мы	we		
на (+ *acc.*)	on, onto, to, for		
объясня́ть	to explain		
он	he (it)	ча́сто	often
она́	she (it)	чита́ть	to read
они́	they	я	I†
оно́	it		

Loan Words

америка́нский	American (*adj.*)*	сове́тский	Soviet (*adj.*)*
бо́мба f	bomb	студе́нт m	student
генера́л m	general	студе́нтка f	student (*f.*)
маши́на f	machine	температу́ра f	temperature
мета́лл m	metal	турби́на f	turbine
Москва́ f	Moscow	фо́рмула f	formula
профе́ссор m	professor	хи́мик m	chemist

* Adjectives formed from proper nouns are not usually capitalized, unless they begin sentences.

† The first person pronoun is not capitalized in Russian, unless it begins a sentence.

Грамма́тика (Grammar)

2-A. Infinitives

Infinitives of verbs end primarily in **-ть** or **-ти**.

де́ла**ть**	to do, to make
ид**ти́**	to go
вес**ти́**	to lead

2-B. Present Tense

Russian verbs normally belong to the first or the second conjugation, indicated respectively as (**I**) or (**II**).

1. The first conjugation includes most verbs ending in **-ать** or **-ять**.

чита́ть (**I**)	to read
я чита́**ю**	I read, I am reading, I do read
ты чита́**ешь**	you (*familiar*) read, you are reading, you do read
он чита́**ет**	he reads, he is reading, he does read
она́ чита́**ет**	she reads, she is reading, she does read
оно́ чита́**ет**	it reads, it is reading, it does read
мы чита́**ем**	we read, we are reading, we do read
вы чита́**ете**	you (*polite*) read, you are reading, you do read
они́ чита́**ют**	they read, they are reading, they do read

Note: All three forms of the English present tense are *always* included in one Russian form. Thus, **я чита́ю** means *I read, I am reading*, or *I do read*.

объясня́ть (**I**)	to explain
я объясня́**ю**	I explain, I am explaining, I do explain
ты объясня́**ешь**	you explain, you are explaining, you do explain
он объясня́**ет**	he explains, he is explaining, he does explain
она́ объясня́**ет**	she explains, she is explaining, she does explain
оно́ объясня́**ет**	it explains, it is explaining, it does explain
мы объясня́**ем**	we explain, we are explaining, we do explain
вы объясня́**ете**	you explain, you are explaining, you do explain
они́ объясня́**ют**	they explain, they are explaining, they do explain

The reader will see that in both examples the verb is conjugated in exactly the same manner: that is, the same suffixes (**-ю**, **-ешь**, **-ет**, **-ем**, **-ете**, **-ют**) are added to a stem formed by removing the **-ть** from the infinitive form. The stems of *most* first conjugation verbs are formed in this manner.

Note: The pronoun may be omitted, inasmuch as the *ending indicates* the person and number of the verb form. Thus, **читáю**, even without the pronoun, can only mean *I read, I am reading, I do read.*

2. The second conjugation includes verbs ending in **-ить**. (For an important exception, see ¶ **4-A**.)

говори́ть (II)	**to speak**
я говорю́	I speak, I am speaking, I do speak
ты говори́шь	you (*familiar*) speak, you are speaking, you do speak
он говори́т	he speaks, he is speaking, he does speak
онá говори́т	she speaks, she is speaking, she does speak
онó говори́т	it speaks, it is speaking, it does speak
мы говори́м	we speak, we are speaking, we do speak
вы говори́те	you (*polite*) speak, you are speaking, you do speak
они́ говоря́т	they speak, they are speaking, they do speak

Note: The stem for the second conjugation is the *infinitive* minus **-ить**.

3. The reader will see the basic differences in the first and second conjugation by comparing their respective endings:

Stem (infinitive minus **-ть**)	**(I)*** *plus*	*Stem* (infinitive minus **-ить**)	**(II)** *plus*
	-ю		**-ю**
	-ешь		**-ишь**
	-ет		**-ит**
	-ем		**-им**
	-ете		**-ите**
	-ют		**-ят**

2-C. Accusative Case of Nouns

1. The accusative case of masculine *inanimate* nouns† is the same as the nominative.

* For variations of the first conjugation, see ¶ **4-A**.
† See ¶ **3-D**, for *animate* nouns.

2. Feminine nouns ending in **-а** and **-я** in the nominative form the accusative case by changing the endings to **-у** and **-ю** respectively. Nouns in **-ь** do not change the ending.

3. The accusative case of neuter nouns is the same as the nominative.

4. Examples:

Masc.	*nom.*	аппара́т	слова́рь	
	acc.	аппара́т	слова́рь	
Fem.	*nom.*	турби́на	земля́	смёсь
	acc.	турби́ну	зёмлю	смесь
Neut.	*nom.*	сло́во	врёмя	
	acc.	сло́во	врёмя	

2-D. Accusative Case of Adjectives

1. The accusative form of masculine adjectives that modify *inanimate* nouns is the same as the nominative.

2. Feminine adjectives ending in **-ая** and **-яя** in the nominative take **-ую** and **-юю** respectively in the accusative.

3. The accusative form of neuter adjectives is the same as the nominative.

4. Examples:

Masc.	*nom.*	сло́жный	си́ний
	acc.	сло́жный	си́ний
Fem.	*nom.*	сло́жная	си́няя
	acc.	сло́жную	си́нюю
Neut.	*nom.*	сло́жное	си́нее
	acc.	сло́жное	си́нее

2-E. Use of the Accusative Case ⌈ DIRECT OBJECT ! ⌉

1. The *direct object* of a verb must be in the *accusative* case. (See ¶ **3-D** for an important exception.)

Он осма́тривает **аппара́т**. ᵐ ·   He is inspecting *the apparatus*.
Мы объясня́ем **турби́ну**. ƒ.   We are explaining *the turbine*.
Она́ объясня́ет **но́вое сло́во**. ᵐ·   She is explaining *the new word*.
Мы чита́ем **си́нюю кни́гу**. ƒ ·   We are reading *the blue book*.

2. *Certain prepositions** require that their objects be in the accusative case.

a. **в (во)** = *in, into, to*

Хи́мик ча́сто лета́ет **в Ленин-**   The chemist often flies *to*
гра́д.   *Leningrad.*

* For the complete list or prepositions, see Table 3, p. 153.

b. **на** = *on, onto, to, for* (in expressions of time)

Бóмба пáдает **на зéмлю**.	The bomb is falling *to the earth*.
Идти́ **на урóк**.	To go *to class* (*lit.* to the lesson).
На недéлю, мéсяц, год.	*For a week, a month, a year.*

2-F. Translation of "it"

The words **он** and **онá** must be translated "it" when referring to nouns that are considered inanimate in English.

Э́то ру́сский **спу́тник**? — Да, **он** ру́сский.	Is this a Russian *satellite*? Yes, *it* is a Russian one.
Где си́няя **смесь**? **Онá** там.	Where is the blue *mixture*? *It* is there.
Э́то тру́дное **врéмя**? — Да, **онó** тру́дное.	Is this a difficult *time*? Yes, *it* is a difficult one.

Текст (Text)

1. Кто э́то? Э́то профéссор. Э́то ру́сский профéссор? Нет, э́то америкáнский профéссор. Что он дéлает? Он говори́т. Он объясня́ет урóк. Э́то тру́дный урóк? Нет, э́то не тру́дный урóк.

2. Кто э́то? Э́то студéнт. Э́то ру́сский студéнт? Нет, э́то америкáнский студéнт. Что он дéлает? Он дéлает бóмбу? Нет, он осмáтривает аппарáт? Нет. Он читáет. Что он читáет? Тепéрь он читáет журнáл. Он читáет америкáнский журнáл? Нет, он читáет ру́сский журнáл. Э́то интерéсный журнáл? Да, он интерéсный. Мы читáем журнáл? Нет, мы тепéрь читáем кни́гу.

3. Здесь америкáнский хи́мик. Что он дéлает тепéрь? Он осмáтривает ру́сский аппарáт. Что э́то? Э́то америкáнская турби́на. Там ру́сский профéссор. Что он осмáтривает? Он осмáтривает америкáнскую турби́ну.

4. Э́то фóрмула. Э́то простáя фóрмула? Нет, э́то слóжная фóрмула. Что мы дéлаем? Мы объясня́ем слóжную фóрмулу. Хи́мик осмáтривает си́ний метáлл.

5. Где ракéта? Ракéта там. Что онá дéлает? Онá пáдает на зéмлю. Спу́тник пáдает на зéмлю? Нет, он не пáдает на зéмлю, он летáет.

6. Что дéлает температу́ра? Онá пáдает. Здесь температу́ра чáсто пáдает? Да, здесь онá чáсто пáдает.

7. Профéссор чáсто летáет в Ленингрáд? Нет. Хи́мик чáсто летáет в Ленингрáд. Профéссор не летáет. Вы чáсто летáете в Москву́? Нет, не чáсто.

Упражнéния (Exercises)

A. Write out the first three paragraphs of the **текст** in Russian script.

B. Match adjectives and nouns, pronouns and verbs, in the following columns.

1. рýсская
2. мы
3. трýдное
4. он
5. они́
6. слóжную
7. рýсский

8. читáет
9. фóрмулу
10. хи́мик
11. дéлают
12. осмáтриваем
13. врéмя
14. ракéта

C. Construct five complete Russian sentences using all the words in each group.

1. на
   ракéта
   зéмлю
   пáдает
   не

2. рýсский
   чáсто
   Москвý
   летáет
   в
   хи́мик

3. рýсскую
   америкáнский
   кни́гу
   читáет
   студéнт

4. рýсский
   америкáнскую
   профéссор
   турби́ну
   объясня́ет

5. рýсскую
   америкáнский
   ракéту
   осмáтривает
   хи́мик

D. In each of the following groups, pick out the word that does not belong.

1. температýра кни́га фóрмула врéмя   *neuter*
2. смесь студéнт Москвá кни́га   *mas.*
3. осмáтривать говори́ть дéлать читáет *3rd person*
4. на там тепéрь здесь *time not place* *prep*
5. си́нее слóжную трýдная нóвое
6. осмáтривает пáдаем говори́т объясня́ет
7. рýсское вторóй пéрвая чáсто

E. Write out complete Russian sentences, putting verbs into proper form, and translate.

1. Что хи́мик (дéлать) здесь? 2. Хи́мик и профéссор (осмáтривать) америкáнскую ракéту. 3. Кто (объясня́ть) трýдную фóрмулу? 4. Студéнт и студéнтка чáсто (летáть) в Ленингрáд?

5. Тепе́рь мы (чита́ть) сове́тскую кни́гу. 6. Что (говори́ть) генера́л? 7. Что вы (говори́ть)? 8. Студе́нт и профе́ссор (говори́ть), они́ не (чита́ть). 9. Мы (объясня́ть) сло́жный слу́чай. 10. Что хи́мик (осма́тривать)?

F. Write out complete Russian sentences, putting adjectives and nouns into proper form, and translate.

1. Тепе́рь осма́триваем (сове́тская турби́на). 2. Студе́нтка чита́ет (интере́сная кни́га). 3. Там объясня́ют (сло́жная фо́рмула). 4. Чита́ете (второ́й уро́к)? 5. Спу́тник не па́дает на (америка́нская земля́). 6. Де́лают (но́вая бо́мба). 7. Профе́ссор объясня́ет (но́вый слова́рь)? 8. Осма́триваешь (си́няя кни́га)? 9. Здесь чита́ют (пе́рвый уро́к). 10. Осма́триваете (сове́тское ра́дио)?

Трéтий Урóк

THIRD LESSON

Словáрь (Vocabulary)

без (безо) (+ gen.)	without	плохóй	bad
вес m.	weight	пóле n	field
вчерá	yesterday	пóмнить	to remember
гóрод m	town	рабóтать	to work
дверь (f.)	door	размéр	size
дéвушка f	girl	с (со) (+ gen.)	from, off of, since
закрывáть	to close	соль (f.)	salt
знать	to know	стеклó n	glass
из (изо) (+ gen.)	from out of, of, from	сырьё n	raw material
кóлба f	flask, retort	трéтий	third
мéсто n.	place	уравнéние n	equation
мóре n.	sea	ýтро	morning
нáтрий m.	sodium (noun)	цвет	color
от (ото) (+ gen.)	from, away from	час	hour
		читáтель (m.)	reader

Loan Words

автомобúль (m.)	automobile	молéкула	molecule
Амéрика f	America	плáстика	plastic(s)
áтóмный	atomic	сестрá	sister
гéний m	genius	тип	type
гóспиталь (m.)	hospital	университéт	university
институ́т m	institute	физик	physicist
истóрия	history	янвáрь (m.)	January
мéтод	method		

14

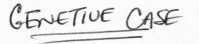

GENETIVE CASE

Грамма́тика (Grammar)

3-A. Basic Declensions of Nouns in the Singular

The task of learning the declensional endings for all types of nouns will be greatly simplified if the reader *at this time memorizes* the following three basic noun declensions.

Note: In Table 1, p. 152, complete paradigms of regular noun declensions are provided for future reference.

Case	Masculine	Neuter	Feminine
nom.	а́том	ме́сто	раке́та
gen.	а́тома	ме́ста	раке́ты
dat.	а́тому	ме́сту	раке́те
acc.	а́том	ме́сто	раке́ту
instr.	а́томом	ме́стом	раке́той
prep.	об а́томе	о ме́сте	о раке́те

1. Note that the prepositional case for all these types of nouns is the same.

2. Note that the neuter declension is similar to the masculine.

3. Note that the feminine dative singular is *always* like the prepositional singular.

3-B. Genitive Case of Nouns

1. Masculine nouns ending in a *consonant* (e.g., **а́том**) form the genitive by adding **-a**. To form the genitive of masculine nouns ending in **-ь** and **-й**, change the **-ь** and **-й** to **-я**. (This is quite logical, for only if **-я** is used will the *soft*, or palatalized, quality of the noun stem be preserved.)

2. Feminine nouns ending in **-a** form the genitive by changing the ending to **-ы**. Those in **-я** and **-ь** change to **-и**.

3. Neuter nouns ending in **-o** form the genitive by changing the ending to **-a**. Those in **-e** and **-ё** change to **-я**. The few neuter nouns ending in **-мя** will be treated separately, as they have a special set of endings.

4. Examples:

Masc.	*nom.*	а́том		автомоби́ль	ра́дий
	gen.	а́тома		автомоби́ля	ра́дия
Fem.	*nom.*	моле́кула	земля́	исто́рия	соль
	gen.	моле́кулы	земли́	исто́рии	со́ли
Neut.	*nom.*	ме́сто	мо́ре	уравне́ние	сырьё
	gen.	ме́ста	мо́ря	уравне́ния	сырья́

3-C. Genitive Case of Adjectives

1. Masculine adjectives with nominative form ending in **-ый** or **-ой** take **-ого** in the genitive; those with nominative in **-ий** take **-его**. These endings are pronounced **-ово** and **-ево**.

2. Feminine adjectives in **-ая** and **-яя** take **-ой** and **-ей** respectively.

3. Neuter adjectives in **-ое** and **-ее** take **-ого** and **-его** respectively.

Note: These endings are the same as those for masculine adjectives.

4. Examples:

Masc.	*nom.*	но́в**ый**	плох**о́й**	ру́сск**ий***	ра́нн**ий**
	gen.	но́в**ого**	плох**о́го**	ру́сск**ого**	ра́нн**его**
Fem.	*nom.*	но́в**ая**	плох**а́я**	ру́сск**ая**	ра́нн**яя**
	gen.	но́в**ой**	плох**о́й**	ру́сск**ой**	ра́нн**ей**
Neut.	*nom.*	но́в**ое**	плох**о́е**	ру́сск**ое**	ра́нн**ее**
	gen.	но́в**ого**	плох**о́го**	ру́сск**ого**	ра́нн**его**

3-D. Use of the Genitive Case

1. To denote possession or to describe, use the genitive in place of the English possessives *of* and *'s*.

ме́сто а́том**а**	the place *of the atom* (*the atom's* place)
тип раке́т**ы**	the type *of rocket*
исто́рия ме́ст**а**	the history *of the place*
а́томный вес ка́ли**я**	the atomic weight *of potassium*
разме́р Земл**и́**	the size *of the Earth*
цвет мо́р**я**	the color *of the sea*

Note also: по́ле би́тв**ы** (battlefield; *lit.* field of battle) and дом о́тдых**а** (rest home: *lit.* home of rest).

2. In negative sentences the direct object is as a rule in the genitive case.

aff.	Я чита́ю журна́л.	I am reading the journal.
neg.	Я **не** чита́ю журна́л**а**.	I am *not* reading *the journal.*
aff.	Мы осма́триваем бо́мбу.	We are inspecting the bomb.
neg.	Мы **не** осма́триваем бо́мб**ы**.	We are *not* inspecting *the bomb.*
aff.	Я зна́ю а́то́мный вес на́три**я**.	I know the atomic weight *of sodium.*

* See ¶ 1-F.

neg.	Я **не** зна́ю а́то́много ве́са на́трия.	I do *not* know the *atomic weight* of sodium.
aff.	Он закрыва́ет дверь.	He is closing the door.
neg.	Он **не** закрыва́ет две́ри.	He is *not* closing *the door*.

3. Many prepositions* require their *objects* to be *in the genitive*.

без (**безо**) = *without*

без ме́то**да**	without a method
без земл**и́**	without land
без ме́с**та**	without a place

из (**изо**) = from, *from out of, of*

из го́спитал**я**	from (out of) the hospital
из ко́лб**ы**	from the flask
из Ленингра́**да**	from Leningrad
из пла́стик**и**†	of plastic (in the sense of "made of plastic")
из стекл**а́**	of glass

с (**со**) = *from, off, from off of, since*

с утр**а́**	from morning
с январ**я́**	since January
со стол**а́**	off the table

от (**ото**) = *from, away from*

от до́ктор**а**	from the doctor

Note: Both **из** and **с** + *the genitive* are respectively counterparts of both **в** and **на** + the *accusative:*

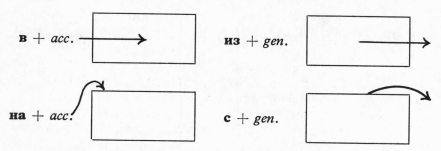

* For the complete list of prepositions, see Table 3.
† Remember that **ы** cannot appear after **к**. Hence, **и** appears.

4. The *accusative* of *animate masculine* nouns is like the *genitive*.

	Inanimate		Animate	
nom.	го́род	хи́мик	чита́тель	ге́ний
gen.	го́рода	хи́мика	чита́теля	ге́ния
dat.	го́роду	хи́мику	чита́телю	ге́нию
acc.	го́род	хи́мика	чита́теля	ге́ния
instr.	го́родом	хи́миком	чита́телем	ге́нием
prep.	о го́роде	о хи́мике	о чита́теле	о ге́нии*

Я зна́ю хи́мика.   I know the chemist (*animate acc.*).

Я не зна́ю хи́мика.   I don't know the chemist (*gen.*)

Мы зна́ем ру́сского ге́ния.   We know the Russian genius.

3-E. Past Tense

1. The *past tense stem* is formed from the *infinitive minus -ть*.

INFINITIVE	PAST TENSE STEM
чита́ть	чита́-
говори́ть	говори́-

2. For a masculine singular subject (first, second, or third person singular) add **-л**.

я чита́л   I (*m.*) was reading

ты чита́л   you (*m. fam.*) were reading

он чита́л   he was reading

3. For a feminine singular subject (first, second, or third person singular) add **-ла**.

я чита́ла   I (*f.*) was reading

ты чита́ла   you (*f. fam.*) were reading

она́ чита́ла   she was reading

4. For a neuter singular subject add **-ло**.

оно́ чита́ло   it was reading

5. For all plural subjects (first, second, or third person plural) add **-ли**.

мы чита́ли   we were reading

вы чита́ли   you (*pol.*) were reading

они́ чита́ли   they were reading

Хи́мик и фи́зик чита́ли.   The chemist and the physicist were reading. (Compound subject.)

* The prepositional ending of masculine nouns in **-ий** will be discussed subsequently.

3-F. The Third Person Plural without the Pronoun Subject

The *third person plural* of the verb, present or past, is often used without a pronoun to indicate an *impersonal idea*. The examples below explain this usage:

Бо́мбу **де́лают** из мета́лла.	The bomb *is made* of metal.
Здесь **осма́тривают** турби́ну.	Here the turbine *is inspected*.
Там **де́лали** стекло́.	The glass *was made* there.

Текст (Text)

1. Хи́мик чита́ет ру́сский журна́л? Нет, он не чита́ет ру́сского журна́ла. Профе́ссор чита́ет ру́сскую кни́гу? Нет, он не чита́ет ру́сской кни́ги.*

2. Кто зна́ет а́томный вес ка́лия? Студе́нт не зна́ет а́томного ве́са ка́лия. Хи́мик осма́тривает но́вый аппара́т? Нет, он не осма́тривает но́вого аппара́та.

3. Вчера́ мы чита́ли второ́й уро́к. Мы зна́ем текст второ́го уро́ка. Тепе́рь мы чита́ем текст но́вого уро́ка. Хи́мик вчера́ рабо́тал. Тепе́рь он не рабо́тает. Ра́дио вчера́ рабо́тало. Тепе́рь оно́ не рабо́тает. Это ра́дио америка́нского профе́ссора.

4. Вы объясня́ете сло́жное уравне́ние? Нет, я не объясня́ю сло́жного уравне́ния. Профе́ссор объясня́ет уравне́ние. Студе́нт зна́ет но́вую фо́рмулу? Да, он зна́ет но́вую фо́рмулу. Вчера́ он не знал но́вой фо́рмулы.

Упражне́ния (Exercises)

A. Write out the **текст**.

B. Match the words in the following columns into meaningful units.

1. америка́нского	9. рабо́тали
2. мы	10. фи́зика
3. она́	11. утра́
4. но́вой	12. ве́са
5. а́томного	13. земля́
6. с ра́ннего	14. пла́стики
7. ру́сская	15. стекла́
8. от	16. рабо́тала

---

* Owing to a spelling rule, **ы** cannot appear after **г**. Hence **и** appears.

C. Pick out the word that does not belong in each of the following groups.

1. гений   натрий   калий   радий
2. американский русский   гений   синий
3. колбы   города   земли   институт
4. атомного   веса   турбины   утра
5. сырья   читателя   натрия   земля
6. студента   металла   химика   Москва
7. осматривал   читали   делаем   знают
8. час   время   стекло   январь

D. Arrange the words in each group to make a correct Russian sentence.

1. не   2. нового   3. в
   книги   осматривает   химик
   русской   институт   Москву
   профессор   физик   Ленинграда
   американский   университета   летает
   читает   из
                                         часто

4. читали   5. не
   урока   формулы
   второго   плохой
   текст   сложной
   вы   знал
                      студент

E. Write out the sentences below using the past tense and translate.

1. Мы читаем второй урок. 2. Профессор часто объясняет трудное уравнение. 3. Сестра не читает советского журнала. 4. Студент не знает размера колбы. 5. Где вы работаете? 6. Химик и физик часто летают в Ленинград. 7. Там они осматривают новый институт. 8. В январе температура часто падает. 9. Студент и студентка объясняют тип стекла. 10. Девушка не читает нового журнала.

F. Write the answers to the following questions in the negative.

1. Гений читает первый урок? 2. Закрывают новый госпиталь? 3. Девушка знает простую формулу? 4. Бомбу делают из синей пластики? 5. Мы читали советскую книгу? 6. Вы помните американский город? 7. Химик осматривает сложный аппарат? 8. Здесь делают плохое стекло? 9. Читатель помнит атомный вес натрия? 10. Читатель и сестра знают историю американского университета?

Четвёртый Урок

FOURTH LESSON

Словарь (Vocabulary)

бить	to hit	о (об) (+ *prep.*)	about, concerning
быстрый	quick	писать	to write
быть	to be	понимать	to understand
в (во) (+ *prep.*)	in, inside	при (+ *prep.*)	in the presence of, during the time of
дом *m*	house		
думать	to think		
жить	to live	роман	novel
завтра	tomorrow	сегодня	today (*pron.* севодня)
зима	winter		
знаменитый	famous	современный	contemporary
идти	to go, to be going	стол	table
как	how, as	трение	friction
класть	to put, to lay	тяжёлый	heavy
куда	where (whither)	фабрика	factory
лить	to pour	хороший	good
мочь	to be able	четвёртый	fourth
на (+ *prep.*)	on, in, at	цена	price
но	but		

Loan Words

английский	English (*adj.*)	музей	museum
испанский	Spanish (*adj.*)	период	period
историк	historian	Россия	Russia
исторический	historical	французский	French (*adj.*)
комический	comical	химия	chemistry
мотор	motor		

Грамматика (Grammar)

4-A. Verbs of the First Conjugation (continued)

1. See ¶ 2-B for the typical pattern of the first conjugation verbs whose stems end in a vowel: чита-ю, -ешь, -ет, -ем, -ете, -ют.

Many verbs of the first conjugation have, however, their stems ending in a consonant, in which event the endings are **-у,** * **-ешь, -ет, -ем, -ете, -ут.** * If the endings are accented, the second and third persons singular and the first and second persons plural end in **-ёшь, -ёт, -ём, -ёте** respectively. Study the examples:

писáть *to write*	**жить** *to live*	**класть** *to put*
пишý	живý	кладý
пи́шешь	живёшь	кладёшь
пи́шет	живёт	кладёт
пи́шем	живём	кладём
пи́шете	живёте	кладёте
пи́шут	живýт	кладýт

идти́ *to be going*	**быть** *to be*	**мочь** *to be able*
идý	бýду (I shall be)	могý (note the
идёшь	бýдешь	мóжешь exceptional
идёт	бýдет	мóжет variation of
идём	бýдем	мóжем the stem)
идёте	бýдете	мóжете
идýт	бýдут	мóгут

2. The total possibilities for endings in the first conjugation may be summarized as follows:

-у (-ю after a vowel)*
-ешь or **-ёшь**
-ет or **-ёт**
-ем or **-ём**
-ете or **-ёте**
-ут (-ют after a vowel)*

Note: If the first person singular of the verb ends in **-у,** then invariably the third person plural ends in **-ут;** if the first person singular ends in **-ю,** then invariably the third person plural ends in **-ют.**

3. Monosyllabic verbs ending in **-ить** are first conjugation verbs also, and are similarly conjugated. This group includes such common verbs as **лить** (to pour), **бить** (to hit), **шить** (to sew), and **вить** (to wind). An exception is **жить** (to live). See above.

лить *to pour*	**бить** *to hit*
лью	бью
льёшь	бьёшь

* There are some exceptions: e.g., **сы́пать,** *to strew, scatter, pour;* сы́плю (I strew), сы́плют (they strew).

PREPOSITIONAL CASE

льёт	бьёт
льём	бьём
льёте	бьёте
льют	бьют

The past tense, as usual, is formed from the *infinitive minus* **-ть**. Thus: **он лил, она шила, мы били, они вили (мы жили)**.

4-B. Adverbs

1. Many adverbs are formed from adjectives by replacing the adjectival ending with **-o**.

бы́стр**ый** quick	бы́стр**о** quickly
плох**о́й** bad	пло́х**о** badly
хоро́ш**ий** good	хорош**о́** well

Он пи́шет бы́стро и хорошо́. He writes *quickly* and *well*.

2. Adverbs formed from adjectives ending in **-ский** have the ending **-ски**.

истори́**ческий** historical	истори́**чески** historically
коми́**ческий** comical	коми́**чески** comically
Это истори́**чески** интере́сный пери́од.	This is an *historically* interesting period.

3. Note that adverbs of manner derived from adjectives of nationality are formed by replacing **-ский** with **-ски**, but they require the addition of the prefix **по-** (which retains the hyphen).

ру́сский Russian	по-ру́сски Russian
Он говори́т **по-ру́сски**.	He speaks *Russian*.
англи́йский English	по-англи́йски English
Она́ хорошо́ пи́шет **по-англи́йски**.	She writes *English* well.
испа́нский Spanish	по-испа́нски Spanish
Мы понима́ем **по-испа́нски**.	We understand *Spanish*.
францу́зский French	по-францу́зски French
Они́ понима́ют, пи́шут и чита́ют **по-францу́зски**.	They understand, write, and read *French*.

4-C. Prepositional Case of Nouns

The *prepositional case* is so called because it is used *only* after prepositions. (It is sometimes called the *locative case*.)

PREPOSITIONAL CASE

1. Masculine nouns that end in a hard consonant in the nominative case form the prepositional case by adding **-е**. Those ending in **-ий** replace the last letter with **-и**. All other masculine nouns form the prepositional by replacing the last letter with **-е**.

2. Feminine nouns ending in **-а** and **-я** form the prepositional case by changing the nominative endings to **-е**. Those ending in **-ь** and **-ия** replace the last letter with **-и**.

3. Neuter nouns ending in **-о** and **-е** form the prepositional case by replacing the ending with **-е**. Those ending in **-ие** replace the last letter with **-и**.

4. Examples:

Masc.	*nom.*	áтом		читáтель	слýчай	рáдий
	prep.	áтоме		читáтеле	слýчае	рáдии
Fem.	*nom.*	ракéта	земля́		соль	истóрия
	prep.	ракéте	землé		сóли	истóрии
Neut.	*nom.*	мéсто	мóре			трéние
	prep.	мéсте	мóре			трéнии

4-D. Prepositional Case of Adjectives

1. Masculine adjectives in **-ый** and **-óй** take **-ом** in the prepositional. Masculine adjectives in **-ий** take the ending **-ем**.

2. Feminine adjectives in **-ая** and **-яя** take the prepositional endings **-ой** and **-ей** respectively.

3. Neuter adjectives in **-ое** and **-ее** take the prepositional endings **-ом** and **-ем** respectively.

Note: These endings are the same as the masculine prepositional adjectival endings.

4. Examples:

Masc.	*nom.*	нóвый	плохóй	рáнний
	prep.	нóвом	плохóм	рáннем
Fem.	*nom.*	нóвая	плохáя	рáнняя
	prep.	нóвой	плохóй	рáнней
Neut.	*nom.*	нóвое	плохóе	рáннее
	prep.	нóвом	плохóм	рáннем

4-E. Use of the Prepositional Case

1. The following common prepositions take the prepositional case:

a. **в, во*** = *in, inside*

* See ¶ **2-E** for use of **на** and **в** plus the *accusative* case.

Он рабо́тает **в** го́роде.

He is working *in town*.

В раке́те — тяжёлый мото́р.

There is a heavy motor *in the rocket*.

Мы чита́ли **в** журна́ле, что он знамени́тый фи́зик.

We read *in the journal* that he is a famous physicist.

b. **на** = *on, in, at*

Ко́лба **на** столе́.

The flask is *on the table*.

Бо́мба **на** земле́.

The bomb is *on the ground*.

Сего́дня они́ **на** уро́ке.

Today they are *at* (or *in*) *class.*

Мы рабо́таем **на** фа́брике ③

We work *at a factory*.

c. **о, об, о́бо** = *about*

Мы говори́ли **о** но́вом журна́ле.

We were talking *about the new journal*.

Она́ не ду́мала **о** цене́ но́вого автомоби́ля.

She did not think *about the price* of the new auto.

Что он зна́ет **об** Аме́рике?

What does he know *about America?*

d. **при** *in the presence of, during the time of*

При профе́ссоре он не мо́жет говори́ть.

In the presence of the professor, he is not able to speak.

Note the common idiom: **при чём**, *besides which*

4-F. Future Tense

The future tense of imperfective verbs* is rendered by the *future* of **быть** (*to be*) *plus the infinitive:*

я бу́ду писа́ть	I shall be writing, I shall write
ты бу́дешь писа́ть	you will be writing, you will write
он бу́дет писа́ть	he will be writing, he will write
мы бу́дем писа́ть	we shall be writing, we shall write
вы бу́дете писа́ть	you will be writing, you will write
они́ бу́дут писа́ть	they will be writing, they will write

За́втра мы бу́дем осма́тривать аппара́т.

Tomorrow we shall be inspecting the apparatus.

Сего́дня они́ бу́дут рабо́тать в го́роде.

Today they will work in town.

Вы бу́дете говори́ть о но́вом спу́тнике сего́дня?

Will you be speaking about the new satellite today?

* See ¶ 5-D.

Текст (Text)

1. Где живёт химик Бу́ркин? Он живёт в но́вом до́ме в сове́тском го́роде. Что он де́лает в институ́те? Он там рабо́тает. Он понима́ет по-англи́йски? Да, он хорошо́ понима́ет по-англи́йски и бы́стро чита́ет по-англи́йски. Он чита́ет о хи́мии в америка́нском журна́ле. Но Бу́ркин пло́хо говори́т и пи́шет по-англи́йски.

2. Кто Ма́ша? Ма́ша — сестра́ сове́тского хи́мика Бу́ркина. Куда́ она́ идёт? Она́ идёт в го́род. Что она́ там бу́дет де́лать? Она́ там бу́дет рабо́тать. Она́ рабо́тает на но́вой фа́брике. Она́ за́втра бу́дет рабо́тать на но́вой фа́брике? Нет, за́втра она́ бу́дет в истори́ческом музе́е в Москве́. Ма́ша — сове́тская де́вушка. Вы мо́жете чита́ть о Ма́ше в сове́тской кни́ге.

3. Где живёт знамени́тый профе́ссор Орло́в? Он живёт в Москве́. Где мы чита́ем о профе́ссоре Орло́ве? Мы чита́ем о знамени́том профе́ссоре в сове́тском журна́ле. Мы зна́ем, что он жил в Ленингра́де, но тепе́рь он живёт в Москве́. Где он рабо́тает? Он рабо́тает в но́вом университе́те. В Ленингра́де он рабо́тал в истори́ческом институ́те, но в Москве́ он рабо́тает в знамени́том университе́те.

4. Это интере́сный пери́од исто́рии? Да, мы живём в инте-ре́сном истори́ческом пери́оде. Студе́нт чита́ет истори́ческий рома́н? Нет, он не чита́ет истори́ческого рома́на. Он чита́ет текст четвёртого уро́ка.

5. Как физик объясня́ет уро́к? Сего́дня он хорошо́ объясня́ет уро́к. Студе́нт не понима́ет уро́ка? Нет,* он понима́ет уро́к. Вчера́ он хорошо́ рабо́тал. За́втра студе́нт не бу́дет рабо́тать. Он не мо́жет рабо́тать без кни́ги.

Упражне́ния (Exercises)

A. Put the first paragraph of the above text into the future tense.

B. Supply suitable adverbs in the following sentences and trans-late.

1. Он ру́сский. Он говори́т _____. 2. Он францу́зский исто́рик. Он _____ понима́ет _____. 3. Он не говори́т по-англи́йски, и _____ пи́шет _____. 4. _____ студе́нт не рабо́тал, и _____ он не понима́ет уро́ка. 5. _____ мы бу́дем в Москве́. 6. Хи́мик не здесь, он _____. 7. _____ профе́ссор идёт тепе́рь?

---

* *Note :* **Нет** means *yes* when used to contradict a negative question.

C. Arrange the following groups of words into complete sentences and translate.

1. кни́гу
кладёт
исто́рик
на
ру́сский
стол

2. тепе́рь
идёт
куда́
профе́ссор
знамени́тый

3. она́
где
я
за́втра
бу́ду
была́

4. истори́чески
пери́од
тру́дный
э́то

5. ду́мал
автомоби́ле
ру́сском
но́вый
о
студе́нт

D. Put the following sentences into the negative and translate.
1. Он пи́шет истори́ческий рома́н.   2. Она́ была́ в университе́те в Москве́.   3. Мы чита́ем второ́й уро́к.   4. Хи́мик осма́тривает си́ний мета́лл.   5. Студе́нт понима́ет сло́жную фо́рмулу.   6. Они́ жи́ли в ру́сском го́роде.   7. Мы чита́ем францу́зскую кни́гу.   8. Профе́ссор объясня́ет сло́жный мото́р.   9. Они́ зна́ют текст четвёртого уро́ка.   10. Хи́мик рабо́тает в институ́те.   11. Здесь говоря́т по-ру́сски.

E. Write out complete Russian sentences by putting the words in parentheses into the correct case; then translate.
1. Я чита́л о (сове́тская раке́та) в (америка́нский журна́л). 2. Де́вушка рабо́тала в (знамени́тый го́спиталь) в Москве́. 3. Что вы зна́ете о (ра́нняя исто́рия) Росси́и?   4. Что говоря́т тепе́рь об (интере́сный рома́н) Пастерна́ка? 5. За́втра мы бу́дем на (си́нее мо́ре). 6. Сло́жная фо́рмула в (четвёртый уро́к). 7. Сестра́ профе́ссора бу́дет рабо́тать в (францу́зский музе́й). 8. Мы живём в (тру́дный пери́од).   9. Вчера́ инжене́р был на (англи́йская фа́брика). 10. Я не зна́ю цены́ (сове́тский автомоби́ль).

Пя́тый Уро́к

FIFTH LESSON

Слова́рь (Vocabulary)

ве́рить	to believe	о́пыт	experiment, experience
внима́ние (n)	attention		
вода́ (f)	water	открыва́ть	to open
всегда́	always	перо́	pen, feather
госуда́рство (n)	government, state	писа́тель (m.)	writer
дава́ть (даю́, даёшь)	to give	письмо́	letter
		по (+ dat.)	along, according to, on
дока́зывать	to prove		
дорого́й	expensive, dear	поколе́ние	generation
зави́сеть (от)	to depend (on)	пол	floor, sex
звезда́	star	почему́	why
зна́чить	to mean, to signify	поэ́тому	therefore
изве́стие	news	производи́ть	to produce, to perform, to make
издава́ть	to issue, publish		
изда́ние	edition	пя́тый	fifth
изобрета́тель (m.)	inventor	ско́рость (f.)	speed, velocity
		сою́з	union
име́ть	to have	ста́рый	old
к (ко) (+ dat.)	to, towards	у́лица	street
ка́чество	quality	у́тренний	morning (adj.)
когда́	when	учи́ть	to teach, to learn
ма́ленький	small	ча́стность (f.)	particularity
ме́дленный	slow	челове́к	man, person
молодо́й	young	э́тот, э́та, э́то	this
на́до	it is necessary	язы́к	language, tongue
носи́ть	to carry, to wear, to bear		

Loan Words

био́лог	biologist	костю́м	suit, costume
биоло́гия	biology	план	plan
инжене́р	engineer	результа́т	result
класс	class	специали́ст	specialist

Expressions for Memorization

име́ть ме́сто	to take place
принима́ть во внима́ние	to take into consideration
потому́ что	because
в ка́честве (+ *gen.*)	as, in the capacity of
в ча́стности	in particular
мо́жет быть	maybe

Име́ет ме́сто интере́сная реа́кция.
An interesting reaction is taking place.

Он не **принима́ет во внима́ние**, что ру́сский язы́к тру́дный.
He does not take into consideration that the Russian language is a difficult one.

Хи́мик не понима́ет результа́та о́пыта, **потому́ что** он не принима́ет во внима́ние, что реа́кция идёт ме́дленно.
The chemist does not understand the result of the experiment, because he does not take into account that the reaction proceeds slowly.

Он рабо́тает **в ка́честве** инжене́ра в но́вом институ́те.
He works in the new institute as an engineer.

В ча́стности на́до по́мнить, что ско́рость реа́кции зави́сит от разме́ра ко́лбы.
In particular it is necessary to remember that the speed of the reaction depends on the size of the flask.

Мо́жет быть он ру́сский, но вчера́ он не говори́л по-ру́сски.
Maybe he is a Russian, but he was not speaking Russian yesterday.

Грамма́тика (Grammar)

5-A. Dative Case of Nouns

1. Masculine nouns ending in a consonant form the dative case by adding **-у**. Those in **-ь** and **-й** change these letters to **-ю**.

2. Feminine nouns in **-а** and **-я** form the dative case by changing the endings to **-е**; those nouns ending in **-ия** and those in **-ь** change the final letter to **-и**.

Note: The *feminine singular dative* and *prepositional* case endings of any noun are *always* the same.

3. Neuter nouns ending in **-о** and **-е** form the dative by changing the endings to **-у** and **-ю** respectively.

4. Examples:

Masc.	*nom.*	а́том				чита́тель	слу́чай	ра́дий
	dat.	а́тому				чита́телю	слу́чаю	ра́дию
Fem.	*nom.*	раке́та	земля́	исто́рия	соль			
	dat.	раке́те	земле́	исто́рии	со́ли			
Neut.	*nom.*	ме́сто				мо́ре	тре́ние	
	dat.	ме́сту				мо́рю	тре́нию	

5-B. Dative Case of Adjectives

1. *Masculine adjectives* in -ый and -ой take -ому in the dative. Those in -ий take the ending -ему.
2. *Feminine adjectives* in -ая and -яя take -ой and -ей respectively in the dative.
3. *Neuter adjectives* in -ое and -ее take dative endings in -ому and -ему respectively.

Note: These endings are the same as for masculine adjectives.

4. Examples:

Masc.	*nom.*	но́в**ый**	дорог**о́й**	у́тренн**ий**
	dat.	но́в**ому**	дорог**о́му**	у́тренн**ему**
Fem.	*nom.*	но́в**ая**	дорога́**я**	у́тренн**яя**
	dat.	но́в**ой**	дорог**о́й**	у́тренн**ей**
Neut.	*nom.*	но́в**ое**	дорог**о́е**	у́тренн**ее**
	dat.	но́в**ому**	дорог**о́му**	у́тренн**ему**

5-C. Use of the Dative Case*

1. To express the indirect object, the *dative case* is required.

Я даю́ интере́сную кни́гу **но́вому учи́телю**.
I am giving the interesting book *to the new teacher*.

Мы пи́шем письмо́ **ста́рому изобрета́телю**.
We are writing a letter *to the old inventor*.

2. Certain common verbs require the dative.

a. **учи́ть,** *to teach*
Профе́ссор **у́чит** молодо́го студе́нта **ру́сскому языку́**.
The professor is *teaching Russian* to the young student.

b. **ве́рить,** *to believe*
Мы не **ве́рим профе́ссору**.
We do not *believe the professor*.

3. The following common prepositions† take the dative case.

a. **к, ко** = *towards, to*
Он идёт **к** челове́ку.
He is walking *towards the man*.

Раке́та па́дает **к** земле́.
The rocket is falling *towards the earth*.

b. **по** = *along, over, according to, on*

Инжене́р идёт **по** у́лице.
The engineer is walking *along* (down) *the street*.

Био́лог специали́ст **по** биоло́гии.
A biologist is a specialist *on biology*.

---

* For other uses of the dative case, see pp. 76-78 and pp. 160-161.
† For the complete list of prepositions, see Table 3.

| Он пи́шет кни́гу **по** исто́рии. | He is writing a book *on history*. |
| Они́ рабо́тают **по** пла́ну. | They work *according to plan*. |

5-D. Aspects of the Verb

1. For almost every English verb infinitive there are two corresponding Russian infinitives, which represent the imperfective and perfective *aspects* of the verb. The <u>*imperfective* verb forms are used</u> <u>for describing actions or states which are *incomplete, continuous, or*</u> <u>*habitual*</u>. The *perfective* verb is used to describe action which *has been or will be completed* (generally a single, specific act).

	Imperfective	Perfective
Infinitive	писа́ть	**на**писа́ть
	я пишу́, etc.	
Present	I write	(The perfective verb forms
	I am writing	are *not* used to express a pre-
	I do write	sent tense meaning, as they, by their nature, connote completeness.)
Past	я писа́л, etc.	я **на**писа́л, etc.
	I was writing	I wrote (and finished)
	I used to write	I did write
Future	я бу́ду писа́ть, etc.	я **на**пишу́, etc.
	I shall write	I shall write (and finish)
	I shall be writing	I shall have written (and shall have finished)

Note: The past perfective is formed from the perfective infinitive with regular past tense endings. The future perfective is formed by using the same endings as the imperfective present tense and adding them to the *stem* of the perfective verb form. The *perfective infinitive* is *never* used with the auxiliary **быть**.

2. In many cases the imperfective and perfective aspects of a verb are somewhat similar. With many verbs the imperfective form has no prefix, whereas the perfective does have a prefix* (писа́ть-**на**писа́ть; де́лать-**с**де́лать). The aspects of other verbs are characterized by different suffixes (объяс**ня́ть**-объяс**ни́ть**; изд**ава́ть**-изд**а́ть**). Still other verbs, however, have imperfective and perfective forms which do not resemble each other at all (класть-положи́ть; говори́ть-сказа́ть).

* See p. 126 for a list of the common prefixes and their meanings.

Heretofore only imperfective infinitives have been presented, but in future vocabularies both forms of the verb will be given. Below are listed the perfective forms for all the verbs presented so far.

IMPERFECTIVE		PERFECTIVE †
бить (бью, бьёшь)	to beat, to strike	побить
быть (*fut.* буду, будешь)	to be	*no perfective*
верить	to believe	поверить
говорить	to speak	*no perfective*
говорить	to tell, to say	сказать (скажу, скажешь)
давать (даю, даёшь)	to give	дать (я дам, ты дашь, он даст, мы дадим, вы дадите, они дадут)
делать	to do, to make	сделать
доказывать	to prove	доказать (докажу, докажешь)
думать	to think	*no perfective*
жить (живу, живёшь)	to live	*no perfective*
зависеть (завишу, зависишь)	to depend	*no perfective*
закрывать	to close	закрыть (закрою, закроешь)
знать	to know	*no perfective*
значить	to mean, to signify	*no perfective*
идти (иду, идёшь) (*past,* он шёл, она шла, оно шло, они шли)	to go	пойти (пойду, пойдёшь; *past,* он пошёл, она пошла, они пошли)
издавать (*see* давать)	to issue, to publish	издать (*see* дать)
иметь	to have	*no perfective*
класть (кладу, кладёшь)	to lay, to place	положить
летать	to fly repeatedly	*no perfective*
лететь (лечу, летишь)	to be flying	полететь
лить (лью, льёшь)	to pour	вылить
мочь (могу, можешь, (*past,* он мог, она могла, они могли)	to be able	смочь
носить	to carry often, to wear	*no perfective*
нести (несу, несёшь) (*past,* он нёс, она несла, они несли)	to be carrying	понести
объяснять	to explain	объяснить
осматривать	to examine	осмотреть

Commit to memory

† The perfective aspect implies completion; therefore, no perfective verb will exactly correspond in meaning to the imperfective. The *commonly associated perfectives* have been listed.

открыва́ть	to open	откры́ть (откро́ю, откро́ешь)
па́дать	to fall	упасть (упаду́, упадёшь; *past*, он упа́л, она́ упа́ла, они́ упа́ли)
писа́ть (пишу́, пи́шешь)	to write	написа́ть
по́мнить	to remember	*no perfective*
понима́ть	to understand	поня́ть (пойму́, поймёшь) (to grasp an idea)
принима́ть	to accept, to take	приня́ть (приму́, при́мешь)
производи́ть (произвожу́, произво́дишь)	to produce, to perform	произвести́ (произведу́, произведёшь *past*, он произвёл, она́ произвела́, они́ произвели́)
рабо́тать	to work	*no perfective*
учи́ть	to teach, to learn	научи́ть *and* вы́учить
чита́ть	to read	прочита́ть *or* прочесть (прочту́, прочтёшь, *past*, он прочёл, она́ прочла́, они́ прочли́)

Examining the list of verb infinitives in both aspects, one notes that a few verbs have no perfective aspect (**име́ть, зави́сеть**), while others have *two* imperfective forms (**носи́ть, нести́; лета́ть, лете́ть**). This phenomenon will be treated in Lesson 7.

Текст (Text)

1. Био́лог — специали́ст по биоло́гии. Тепе́рь молодо́й био́лог произво́дит интере́сный о́пыт. Он понима́ет, что результа́т о́пыта зави́сит от температу́ры в ко́лбе.

Дире́ктор открыва́ет дверь и идёт к молодо́му био́логу. Он даёт био́логу журна́л и говори́т, что в журна́ле пи́шут об интере́сном о́пыте. Молодо́й био́лог бы́стро чита́ет об о́пыте в журна́ле. Тепе́рь он зна́ет, что ста́рый профе́ссор в Москве́ уже́[1] произвёл тот же са́мый[2] о́пыт.

[1] **уже́** already
[2] **тот же са́мый** the very same

"Ста́рый профе́ссор — ге́ний," говори́т молодо́й био́лог. "За́втра я произведу́ но́вый о́пыт."

2. Когда́ дире́ктор откры́л дверь, что де́лал молодо́й био́лог? Он производи́л о́пыт. Он понима́л, что результа́т о́пыта зави́сит* от температу́ры воды́ в ко́лбе. Что сде́лал дире́ктор? Он дал био́логу журна́л. Он сказа́л молодо́му био́логу, что в журна́ле пи́шут* об интере́сном о́пыте. Что сде́лал молодо́й био́лог? Он бы́стро прочёл об о́пыте профе́ссора. Он по́нял, что ста́рый профе́ссор уже́ произвёл тот же са́мый о́пыт. Молодо́й био́лог сказа́л, что ста́рый профе́ссор — ге́ний.

3. Пастерна́к — знамени́тый сове́тский писа́тель. Он писа́л по-ру́сски. Он написа́л рома́н "До́ктор Жива́го." Но он не изда́л рома́на в Сове́тском Сою́зе. Вы мо́жете прочита́ть кни́гу Пастерна́ка по-англи́йски. Англи́йское изда́ние есть в библиоте́ке.

Упражне́ния (Exercises)

A. Choose the words in the correct case to satisfy the grammar of the sentence, then tell the reason for your choice.

молодо́й хи́мик
1. Мы даём молодо́м хи́мике но́вую кни́гу.
молодо́му хи́мику

земле́.
2. Раке́та па́дала на земля́.
зе́млю.

но́вого учи́теля.
3. Мы идём к но́вому учи́телю.
но́вом учи́теле.

ато́мный вес
4. Он не зна́ет ато́много ве́са ка́лия.
ато́мному ве́су

Москву́.
5. Мы ча́сто лета́ем в Москве́.
Москва́.

но́вой сме́сью
6. Фо́рмула но́вой сме́си не тру́дная.
но́вую смесь

* In indirect speech and related constructions the tense of the subordinate clause verb is usually the same as it would be in direct speech: **Ма́ша сказа́ла, что не зна́ет Петра́.** *Masha said she did not know (lit.* does not know) *Peter.* **Я знал, что они́ бу́дут жить в Москве́.** *I knew that they would live (lit.* will live) *in Moscow.*

сырьé.

7. Соль — тип сырьё.

сырья́.

вода́

8. Челове́к не мо́жет жить без во́ду   и соль

воды́   со́ли.

звезды́.

9. Мы говори́м о звезду́.

звезде́.

B. Put the following words into the dative case.

си́ний цвет   тяжёлая моле́кула   но́вый автомоби́ль
дорога́я пла́стика   плохо́е ка́чество   плоха́я соль
интере́сная исто́рия сло́жный слу́чай   ру́сский язы́к
                     плохо́е стекло́

C. Form adverbs from the following adjectives.

тяжёлый   истори́ческий   хоро́ший   тру́дный
интере́сный плохо́й   бы́стрый   коми́ческий

D. Put the verbs into the correct form, present and past.

1. Реа́кция (идти́) бы́стро.   2. Мы (дава́ть) кни́гу писа́телю.
3. Они́ (учи́ть) хи́мика ру́сскому языку́.   4. Результа́т (зави́-
сеть) от ме́тода.   5. Вы (класть) ко́лбу на стол.   6. Изобрета́-
тель (принима́ть) э́то во внима́ние.   7. Э́то не (мочь) быть.

E. Write out complete sentences, putting the words in the
parentheses into the correct case, and translate.

1. Америка́нский профе́ссор пи́шет письмо́ (знамени́тый
писа́тель).   2. Э́то де́лают по (но́вая фо́рмула).   3. Вы не
ве́рите (молода́я сестра́)?   4. Кто ме́дленно идёт к (ста́рый
изобрета́тель)?   5. Она́ у́чит студе́нта (ру́сский язы́к).

F. Put the following sentences into the future and translate.

1. Инжене́р ча́сто писа́л сестре́.   2. Вы всегда́ лета́ете в
Москву́?   3. В уро́ке бы́ло тру́дное уравне́ние.   4. Сестра́ не
пове́рила молодо́му изобрета́телю.   5. Био́лог написа́л кни́гу об
о́пыте.   6. Дире́ктор не жил в Ленингра́де.   7. Студе́нт поло-
жи́л кни́гу на стол.   8. Кто учи́л писа́теля англи́йскому языку́?
9. Что вы сде́лали в кла́ссе?   10. Что америка́нский хи́мик
де́лал в Сове́тском Сою́зе?

SIXTH LESSON

Словарь (Vocabulary)

большой	big, large	нельзя	it is forbidden, impossible
бумага	paper		
важный	important	ночь (*f.*)	night
весна	spring	осень (*f.*)	autumn
вечер	evening	отец*	father
видеть	to see	очень	very
(увидеть)		перед (+ *instr.*)	before, in front of
всё	everything	под (+ *instr.*)	under, near
день (*m.*)*	day	поколение	generation
держать	to hold	получать	to receive, to get,
для (+ *gen.*)	for, for sake of	(получить)	to obtain
жена	wife	посылать	to send
за (+ *instr.*)	after, behind	(послать)	
запад	west	почти	almost
западный	western	править	to drive
здание	building	правый	right
играть	to play	принадлежать	to belong
(сыграть)		разница	difference
лежать	to lie (recline)	рука	hand
лето	summer	слышать	to hear
любить	to love	(услышать)	
(полюбить)		сообщение	communication
между (+ *instr.*)	between, among	спать	to sleep
над (+ *instr.*)	over	стоять	to stand
		также	also
		умный	intelligent

Associated Words†

битва	battle	значение	meaning, signifi-cance, value
висеть	to hang		
влияние	influence	интерес	interest
жизнь (*f.*)	life	можно	it is possible, one may

* See **7-F**.
† Words with roots similar to words learned previously.

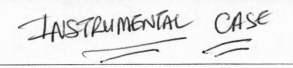

Loan Words

Евро́па	Europe	По́льша	Poland
кри́тик	critic	рели́гия	religion
критикова́ть	to criticize	роль (*f.*)	role
культу́ра	culture	скептици́зм	skepticism
ле́вый	left	телефо́н	telephone
микроско́п	microscope	телефо́нный	telephonic

Expressions for Memorization

так как — since
при э́том — moreover, in addition
всё же — nevertheless (же alone usually is not translated, as it is used primarily for emphasis.)

Так как он ге́ний, он бы́стро чита́ет и сра́зу понима́ет по-ру́сски. **При э́том,** он всё по́мнит; но он **всё же** не понима́ет ва́жной фо́рмулы в но́вой ру́сской кни́ге.

Since he is a genius, he reads quickly and understands Russian immediately. Moreover, he remembers everything; but nevertheless he does not understand the important formula in the new Russian book.

Грамма́тика (Grammar)

6-A. Instrumental Case of Nouns

1. *Masculine nouns* ending in a consonant form the instrumental case by adding **-ом**. Those ending in **-ь** and **-й** replace this letter with **-ем (ём)**.

Those ending in **ж, ц, ч, ш** and **щ** require special attention due to the spelling rules.*

2. *Feminine nouns* in **-а** and **-я** form the instrumental case by changing the endings to **-ой (-ою)** and **-ей (-ею)** or, if accented, to **-ёй (-ёю)**. Those ending in **-ия** replace the last letter with **-ей (-ею)** and those in **-ь** replace this with **-ью**.

3. *Neuter nouns* ending in **-о** and **-е** form the instrumental by changing the endings to **-ом** and **-ем** respectively.

4. Examples:

Masc.	*nom.*	а́том	чита́тель	слу́чай	ра́дий
	instr.	а́томом	чита́телем	слу́чаем	ра́дием
Fem.	*nom.*	раке́та	земля́	исто́рия	соль
	instr.	раке́той	землёй	исто́рией	со́лью
Neut.	*nom.*	ме́сто	мо́ре	тре́ние	
	instr.	ме́стом	мо́рем	тре́нием	

* See Appendix A.

6-B. Instrumental Case of Adjectives

1. Masculine adjectives in **-ый** and **-ой** form the instrumental by changing the endings to **-ым**. Masculine adjectives in **-ий** take **-им**.

2. Feminine adjectives in **-ая** and **-яя** form the instrumental by changing the endings to **-ой** (**-ою**) and **-ей** (**-ею**) respectively.

3. Neuter adjectives in **-ое** and **-ее** form the instrumental by changing the endings to **-ым** and **-им** respectively.

4. Examples:

Masc.	*nom.*	но́в**ый**	молодо́**й**	си́н**ий**
	instr.	но́в**ым**	молод**ы́м**	си́н**им**
Fem.	*nom.*	но́в**ая**	молода́**я**	си́н**яя**
	instr.	но́в**ой**	молодо́**й**	си́н**ей**
Neut.	*nom.*	но́в**ое**	молодо́**е**	си́н**ее**
	instr.	но́в**ым**	молод**ы́м**	си́н**им**

6-C. Use of the Instrumental Case

The *instrumental case* is used
1. *To denote the means or instrument.*

Я закрыва́ю смесь бума́г**ой**.	I am covering the mixture with paper.
Он объясни́л уравне́ние при-ме́р**ом**.	He explained the equation by means of an example.

Note: No preposition is required to express "with."

2. *In certain adverbial expressions of time.*

весно́**й**	in the spring (from **весна́**, *spring*)
ле́т**ом**	in the summer (from **ле́то**, *summer*)
о́сен**ью**	in the fall (from **о́сень**, *fall*)
зимо́**й**	in the winter (from **зима́**, *winter*)
у́тр**ом**	in the morning (from **у́тро**, *morning*)
дн**ём**	by day, during the day (from **день**, *day*)
ве́чер**ом**	in the evening (from **ве́чер**, *evening*)
но́ч**ью**	by night (from **ночь**, *night*)

3. After certain common verbs.*

a. **пра́вить** *to drive*

Он пло́хо **пра́вит** автомоби́л**ем**.	He drives the car badly.

* See Appendix F for other verbs requiring the instrumental.

4. *As the predicate instrumental.*

Words used as the predicate completion or complement of certain verbs (including **быть**) are frequently in the instrumental instead of the nominative, especially when a *temporary condition* or *change of state* is described.

Он бу́дет био́лог**ом**.	He *will be a biologist.*
Когда́ я был студе́нт**ом**, я чита́л сове́тский журна́л.	When I *was a student*, I read a Soviet magazine.

For other examples of the *predicate instrumental*, see ¶ **9-B**.

5. *With certain common prepositions.*

a. **с, со** = *with, along with, in the company of, against*

Он говори́т **с** хи́мик**ом**.	He is speaking *with the chemist.*
Он всё чита́ет **с** больш**и́м** скептици́зм**ом**.	He reads everything *with great skepticism.*

b. **за** = *behind, after, for*

Большо́е зда́ние **за** библио-те́к**ой** — го́спиталь.	The large building *behind the library* is a hospital.
Мы посла́ли **за** специали́-ст**ом**.	We sent *for a specialist.*

c. **ме́жду** = *between, among*

Ме́жду на́три**ем** и ра́ди**ем** больша́я ра́зница в ве́се.	There is a great difference in weight *between sodium and radium.*
Ко́лба стоя́ла на столе́ **ме́ж-ду** аппара́т**ом** и ма́леньк**им** мото́р**ом**.	The flask was standing on the table *between the apparatus* and *the small motor.*

d. **пе́ред, пе́редо** = *in front of, before*

Мы рабо́тали **пе́ред** зда́ни**ем**.	We were working *in front of the building.*

e. **над, на́до** = *over, above, upon*

Ла́мпа виси́т **над** стол**о́м**.	The lamp hangs *over the table.*

f. **под, по́до** = *under, near*

Он спал **под** стол**о́м**.	He used to sleep *under the table.*
Би́тва име́ла ме́сто **под** Моск-в**о́й**.	The battle took place *near Moscow.*

Note: The prepositions **под** and **за** take the *accusative* case when indicating the direction of an action:

Она́ положи́ла бума́гу **под** кни́гу.	She put the paper *under the book.*
Они́ иду́т **за** фа́брику.	They are going *behind the factory.*

6-D. Verbs of the First Conjugation (continued)

Verbs with an infinitive ending in **-ова́ть** and some verbs ending in **-ева́ть** belong to a special class of the first conjugation. *Note* that the **-ова** (**-ева**) first changes to **-у** (**-ю**) and then the regular first conjugation endings are suffixed.

критикова́ть	критику́ю	критику́ем
	критику́ешь	критику́ете
	критику́ет	критику́ют

The past tense, as always, is formed from the infinitive.

критикова́л, -ла, -ло, -ли

6-E. Verbs of the Second Conjugation (continued)

1. Verbs of the second conjugation with stems ending in **-б, -в, -г, -д, -з, -м, -п, -с, -ст, -т, -ф** regularly undergo the following stem changes in the first person singular *only*.

-б > бл	люби́ть,	люблю́,	лю́бишь	to love
-в > вл	лови́ть,	ловлю́,	ло́вишь	to catch
-м > мл	шуме́ть,	шумлю́,	шуми́шь	to make noise
-п > пл	купи́ть,	куплю́,	ку́пишь	to buy (*pf.*)
-ф > фл	тра́фить,	тра́флю,	тра́фишь	to hit the mark
-д > ж	ви́деть,	ви́жу,	ви́дишь	to see
-з > ж	вози́ть,	вожу́,	во́зишь	to transport
-с > ш	носи́ть,	ношу́,	но́сишь	to wear, to carry
-ст > щ	пусти́ть,	пущу́,	пу́стишь	to release, to allow
-т > ч	лете́ть,	лечу́,	лети́шь	to be flying

2. Some common verbs with infinitive endings in **-ать** and **-ять** belong to the second conjugation. For example:

держа́ть	to hold	я держу́, ты де́ржишь, он де́ржит, мы де́ржим, вы де́ржите, они де́ржат

стоя́ть	to stand	я стою́, ты стои́шь, он стои́т, мы стои́м, вы стои́те, они́ стоя́т

Other common verbs belonging to this category are:

лежа́ть	to lie	я лежу́, ты лежи́шь . . .
принадлежа́ть	to belong	я принадлежу́, ты принадлежи́шь . . .
слы́шать	to hear	я слы́шу, ты слы́шишь . . .
спать	to sleep	я сплю, ты спишь . . .

The reader will note that all the above examples follow the general rules for the conjugation of verbs of the second conjugation.

The past tense of these verbs is formed regularly: the infinitive minus **-ть** plus **-л, -ла, -ло, -ли.**

Текст (Text)

Read and translate.

1. В ка́честве кри́тика ста́рый профе́ссор написа́л, что э́то плохо́й рома́н. В ча́стности он критикова́л скептици́зм писа́теля.

2. — По рели́гии и культу́ре По́льша принадлежа́ла к за́падной Евро́пе, — сказа́л исто́рик. — Этот факт име́л о́чень ва́жное значе́ние для По́льши. Истори́чески, По́льша — часть Евро́пы, и совреме́нная По́льша та́кже принадлежи́т к за́паду.

3. Я слы́шал сообще́ние по ра́дио,* что цена́ стекла́ па́дает. Это о́чень хорошо́, потому́ что, когда́ я положи́л ко́лбу на стол, она́ упа́ла.

4. Я зна́ю, что телефо́нное сообще́ние в Москве́ не о́чень хоро́шее. Но говоря́т, что систе́ма телефо́нного сообще́ния ме́жду Москво́й и Ки́евом не плоха́я.

5. Тре́ние игра́ет большу́ю роль в жи́зни. Без тре́ния нельзя́ держа́ть кни́гу руко́й.

6. Молодо́й био́лог говори́л с инжене́ром. Био́лог сказа́л, что он произвёл ва́жный о́пыт, и что пи́шут о ва́жном о́пыте в журна́ле «Микроско́п». Инжене́р сказа́л, что он чита́ет э́тот журна́л с больши́м интере́сом.

7. Умный челове́к принима́ет во внима́ние, что оте́ц принадлежи́т к ста́рому поколе́нию. Сообще́ние ме́жду ста́рым поколе́нием и но́вым поколе́нием о́чень тру́дное.

* This word is not declined.

Упражнéния (Exercises)

A. Put the words in the parentheses into the correct cases and translate.

1. Трýдно писáть без (бумáга). 2. Он не знáет (рáзница) мéжду (биóлог) и (биолóгия). 3. Стеклó лежáло на (стол) пéред (кóлба), но за (кнúга). 4. Он чáсто говорúл со (знаменúтый изобретáтель) о (плохóе телефóнное сообщéние). 5. Мéжду (Кúев) и (Нóвгород) есть телефóнное сообщéние. 6. Ценá (кóлба) завúсит от (кáчество) стеклá. 7. Он дал (францýзский писáтель) исторúческий ромáн о (Фрáнция). 8. Англúйский писáтель Гáлсуорси был под влияʹнием (рýсский писáтель). 9. Мáша положúла (бумáга) на (земляʹ). 10. Онá не моглá читáть пéред (бúтва).

B. Supply the correct prepositions and translate.

1. Я люблю́ говорúть _____ хúмиком. 2. Мы кладём кнúгу _____ бумáгу. 3. Он тепéрь стоúт _____ мéсте. 4. Журнáл лежáл _____ столóм. 5. Я не мог вúдеть биóлога; он стояʹл _____ профéссором. 6. Дóктор посыʹлает _____ специалúстом. 7. Инженéр не мог рабóтать _____ аппарáта. 8. Ромáн лежáл на столé _____ писáтелем. 9. Вы знáете рáзницу _____ вéчером и нóчью? 10. Что изобретáтель дéржит _____ лéвой рукé?

C. Arrange the following groups of words into proper sentences.

1. на	2. большóй	3. фóрмулы	4. закрывáет
кóлба	уравнéние	не	он
нóвом	в	студéнт	дверь
стоúт	кнúге	знал	всегдá
большáя	нóвое	нóвой	инститýта
столé			вéчером

5. температýры	6. пéред	7. дал
завúсит	за	примéр
цвет	послáл	профéссор ⁿᵒᵐ
метáлла	бúтвой ᶦⁿˢᵗʳᵘ·	цвéта ᵃᶜᶜᵘ·
от	дóктором ᶦⁿˢᵗʳᵘ·	простóй ᶦⁿˢᵗʳᵘ
	он	влияʹния ᵍᵉⁿ·

SEVENTH LESSON

Словáрь (Vocabulary)

а	but, and	**и́ли**	or
бéгать	(*hab.*) to run	**конéц**	(*gen.* **концá**) end
бежáть	to run	**муж**	husband
(**побежáть**)		**начáло**	beginning
брать ; беру́,	to take	**нести́ (понести́)**	to carry
-ёшь		**огóнь** (*m.*)	fire
(*pf.* **взять :**		**отвéт**	answer
возьму́, -ёшь)		**порядок**	order
везти́ (повезти́)	to haul	**сóхнуть**	to grow dry, to dry up
вести́ (повести́)	to lead		
води́ть	(*hab.*) to lead	**трóгать**	to touch
вопрóс	question	(**трóнуть**)	
вот	here, there's a	**тяну́ть**	to pull
вся́кий	each	(**потяну́ть**)	
дви́гать	to move	**ходи́ть**	(*hab.*) to go, to walk
(**дви́нуть**)			
дерéвня	village, country	**хотéть ; хочу́,**	to want, to want to
до (+ *gen.*)	up to, until	**хóчешь,**	
éздить	(*hab.*) to go (*except on foot*)	**хóчет,**	
		хоти́м,	
éхать (поéхать)	to go (*except on foot*)	**хоти́те,**	
		хотя́т	
		(**захотéть**)	

Associated Words

вноси́ть	to bring in	**относи́ть**	to remove, to attribute
(**внести́**)		(**отнести́**)	
приноси́ть	to bring	**уноси́ть**	to carry off
(**принести́**)		(**унести́**)	

Loan Words

америка́нец	American	теоре́ма	theorem
америка́нка	American (*f.*)	центр	center
дире́ктор	director	эне́ргия	energy

Expressions for Memorization

для того́, что́бы   in order to
во вся́ком слу́чае   in any case
с нача́ла до конца́ from beginning to end
Он э́то сде́лал **для того́, что́бы** доказа́ть теоре́му.
He did this in order to prove the theorem.
Он рабо́тает ме́дленно, но **во вся́ком слу́чае** неплóхо.
He works slowly, but in any case not badly.
Он бы́стро прочита́л но́вый рома́н **с нача́ла до конца́.**
He quickly read the new novel from beginning to end.

Грамма́тика (Grammar)

7-A. Review of Verbs

1. *Present tense.* Possible endings for the present tense can be summarized as follows:

FIRST CONJUGATION	SECOND CONJUGATION
-у (ю)	-ю (у)
-ешь (ёшь)	-ишь
-ет (ёт)	-ит
-ем (ём)	-им
-ете (ёте)	-ите
-ут (ют)	-ят (ат)

2. *Future tense.*
   a. *The future imperfective* is rendered by the future tense of **быть** plus the imperfective infinitive.

я бу́ду рабо́тать	I shall be reading, I shall read
ты бу́дешь рабо́тать	you will be reading, you will read
он бу́дет рабо́тать	he will be reading, he will read
мы бу́дем рабо́тать	we shall be reading, we shall read
вы бу́дете рабо́тать	you will be reading, you will read
они́ бу́дут рабо́тать	they will be reading, they will read

b. The future perfective is formed by adding endings similar to those of the present tense to the stem of the perfective verb:

написа́ть	сде́лать	закры́ть
я напишу́	сде́лаю	закро́ю
ты напи́шешь	сде́лаешь	закро́ешь
он напи́шет	сде́лает	закро́ет
мы напи́шем	сде́лаем	закро́ем
вы напи́шете	сде́лаете	закро́ете
они́ напи́шут	сде́лают	закро́ют

3. *Past tense.* Possible endings for the past tense of imperfective and perfective verbs can be summarized as follows:

Masculine, first, second, and third persons singular	**-л**
Feminine, first, second, and third persons singular	**-ла**
Neuter, third person singular	**-ло**
All plurals	**-ли**

7-B. Additional Notes on the Past Tense

1. Certain verbs use an irregular stem for the past tense. Study the examples below:

INFINITIVE		PAST TENSE
мочь	to be able	**мог, могла́, могло́, могли́**
класть	to put	**клал, кла́ла, кла́ло, кла́ли**

2. Some of the verbs whose infinitives end in **-ти** also use an irregular stem in the past tense.

INFINITIVE		PAST TENSE
нести́	to carry	нёс, несла́, несло́, несли́
принести́	(*pf.*) to bring	принёс, принесла́, принесло́, принесли́
везти́	to haul	вёз, везла́, везло́, везли́
идти́	to be going	шёл, шла, шло, шли
вести́	to lead	вёл, вела́, вело́, вели́
произвести́	(*pf.*) to produce	произвёл, произвела́, произвело́, произвели́

Note: The masculine singular forms of the first three verbs noted above give no indication that they are past tense verb forms, for they lack the expected **-л** ending. The student must be able to recognize these forms, as they are often met in texts.

(indeterminate) *(determinate)*

7-C. Habitual and Actual Verb Pairs
(multi-directional) *(1-directional)*

1. Several verbs have two imperfective forms: one indicates habitual action and the other indicates action that is actually going on or in progress.

ходить to go *(on foot)* *(habitual)* **идти** to go *(on foot)* *(actual)*

Он всегда **ходит** в библиотéку с женóй.	He *always goes* to the library with his wife.
Они теперь **идут** в библиотéку.	They *are now going* to the library.

2. Many common verbs of motion, among others, belong to this pair type.

HABITUAL FORM		ACTUAL FORM
éздить	to go *(not on foot)*	éхать (éду, éдешь)
носить	to carry *(on foot)*	нести (несу, несёшь)
водить	to lead	вести (веду, ведёшь)
возить	to transport, haul	везти (везу, везёшь)
летáть	to fly *(carry by vehicle)*	летéть (лечу, летишь)
бéгать	to run	бежáть (бегу, бежишь, бежит, бежим, бежите, бегут)

3. The past tense of the habitual form renders the meaning *used to* ____ or *would* ____, whereas the past tense of the actual form renders a progressive past: *was* ____ *-ing*.

Он чáсто **éздил** в Москву автомобилем.	He often *used to go* (*would go*) to Moscow by car.
Когдá онá **éхала** в гóрод, онá увидела стáрого профéссора.	When she *was going* to town, she saw the old professor.

4. Verbs of the ''habitual-actual'' category are very commonly combined with prefixes,* in which case the ''habitual-actual'' relationship is lost. The habitual form with a prefix usually becomes the imperfective and the actual form with the same prefix becomes the perfective. Together they are a regular imperfective = perfective verb pair.

EXCEPTION: The prefix **по-** renders all verbs of the habitual-actual category *perfective*.

* For a list of prefixes, see p. 126

IMPERFECTIVE	PERFECTIVE	MEANING
уносить	унести	to carry off
относить	отнести	to remove, to relate, to attribute, to carry off
вносить	внести	to bring in
приносить	принести	to bring

7-D. Verbs in -нуть

1. Verbs with infinitives ending in **-нуть** are of the first conjugation. Note, however, that the verb stem is formed by removing **-уть**.

сóхнуть, сóхну, сóхнешь   to grow dry
тянýть, тянý, тя́нешь   to pull

2. Most verbs in **-нуть** are *perfective*.

дви́нуть, дви́ну, дви́нешь (*pf. of* **дви́гать**)   to move
трóнуть, трóну, трóнешь (*pf. of* **трóгать**)   to touch

3. Most verbs in -нуть form the past tense in the usual manner, i.e., by dropping **-ть** and adding the past tense endings. Several verbs of this category *which denote a process* form the past tense by dropping **-нуть** and adding the past tense endings to the stem. However, if after dropping **-нуть** the last letter of the stem is **-з, -к, -с,** or **-х,** the past tense ending **-л** is omitted from the masculine past form:

INFINITIVE	MEANING	PAST TENSE
сóхнуть	to grow dry	сох (*m.*), сóхла (*f.*) сóхло (*n.*), сóхли, (*pl.*)
привы́кнуть	to grow accustomed to	привы́к (*m.*), привы́кла (*f.*) привы́кло (*n.*), привы́кли (*pl.*)
сты́нуть	to grow cold	стыл (*m.*), сты́ла (*f.*) сты́ло (*n.*), сты́ли (*pl.*)

7-E. The Use of нет

1. The word **нет** may mean *there is no, there are no, there is not, there are not*. It must be used with the *genitive case*, singular or plural.

В гóроде **нет** гóспиталя.   *There is no hospital* in the town.
На столé **нет** письмá.   *There is no letter* on the table.

2. The *past tense* of **нет** is **не́ бы́ло**. This form is *invariable*, and also must be used with the *genitive*.

Ле́том **не́ бы́ло** вод**ы́** в дере́вне.	In summer *there was no water* in the village.

3. The *future tense* of **нет** is **не бу́дет**. This form is *invariable*, and must be used with the *genitive*.

Не бу́дет ме́ст**а** для большо́го зда́ния в це́нтре го́рода.	*There will not be a place* for a large building in the center of town.

7-F. Tables of Singular-noun Declensions

1. *Masculine*

nom.	а́том	поэ́т	автомоби́ль	писа́тель	слу́чай	ра́дий
gen.	а	а	я	я	я	я
dat.	у	у	ю	ю	ю	ю
acc.		а	ь	я	й	й
instr.	ом	ом	ем	ем	ем	ем
prep.	е	е	е	е	е	и

2. *Neuter*

nom.	ме́сто	мо́ре	тре́ние
gen.	а	я	я
dat.	у	ю	ю
acc.	о	е	е
instr.	ом	ем	ем
prep.	е	е	и

These endings may be summarized as follows:

Case	Hard stem		Soft stem	
	Masc.	*Neut.*	*Masc.*	*Neut.*
nom.	—	-о	-ь, -й	-е
gen.	-а	-а	-я	-я
dat.	-у	-у	-ю	-ю
acc.	like *nom.* or *gen.*	-о	like *nom.* or *gen.*	-е
instr.	-ом	-ом	-ем	-ем
prep.	-е	-е	-е; -и (if -ий)	-е; -и (if -ие)

Note: Some masculine nouns drop the final stem vowel (normally **о**, **е**, or **ё**) in the inflected forms:

коне́ц	америка́нец	оте́ц	ого́нь	день	поря́док
конца́	америка́нца	отца́	огня́	дня	поря́дка

концу́	америка́нцу	отцу́	огню́	дню	поря́дку
конéц	америка́нца	отца́	огóнь	день	поря́док
концóм	америка́нцем	отцóм	огнём	днём	поря́дком
концé	америка́нце	отцé	огнé	дне	поря́дке

3. *Feminine*

nom.	ракéта	дерéвня	энéргия	соль
gen.	ы	и	и	и
dat.	е	е	и	и
acc.	у	ю	ю	ь
instr.	ой(ою)	ей(ею)	ей(ею)	ью
prep.	е	е	и	и

7-G. Tables of Adjectival Declensions

1. *Masculine*

nom.	нóвый	молодóй	ру́сский*	си́ний
gen.	ого	ого	ого	его
dat.	ому	ому	ому	ему
acc.	— — — — like *nom.* or *gen.* — — —			
instr.	ым	ым	им*	им
prep.	ом	ом	ом	ем

2. *Neuter*

nom.	нóвое	молодóе	ру́сское	си́нее
gen.	ого	óго	ого	его
dat.	ому	óму	ому	ему
acc.	ое	óе	ое	ее
instr.	ым	ы́м	им*	им
prep.	ом	ом	ом	ем

3. *Feminine*

nom.	нóвая	молода́я	ру́сская	си́няя
gen.	ой	óй	ой	ей
dat.	ой	óй	ой	ей
acc.	ую	у́ю	ую	юю
instr.	ой(ою)	óй(óю)	ой(ою)	ей(ею)
prep.	ой	óй	ой	ей

Текст (Text)

Read and translate.

1. У́мный муж всегда́ понима́ет жену́?
2. Она́ отнесла́ письмó на фа́брику.

* Remember that after **к, ы** cannot appear.

3. Всякий человек любит жить в деревне летом.

4. Я не хочу читать книгу до конца.

5. Здесь нет места для стола.

6. Кто унёс дорогую лампу директора?

7. Отнесли старого профессора в госпиталь.

8. Я не знаю ответа, потому что не понимаю вопроса.

9. «Быть или не быть, вот вопрос», сказал Гамлет.

10. Она ничего не знает, но думает, что всё знает.

✓ 11. Надо это сделать для государства.

12. Ответ зависит от вопроса.

13. Он принял книгу от профессора.

14. Что значит слово «издавать»?

↳ 15. Перед опытом двинули стол и закрыли дверь.

16. Внимание молодого студента трогает девушку.

17. Бумага на столе. Она сохнет.

18. Мы принадлежим к новому поколению, а Гитлер и Сталин к старому.

19. Вы любите Париж? Да, вот интересный город.

20. Для того, чтобы читать, надо иметь книгу.

21. Письмо советского инженера очень тронуло писателя.

22. Он берёт книгу со стола.

23. Они взяли колбу из огня.

24. Это очень трудный вопрос.

25. Не надо стоять на столе для того, чтобы осматривать пол.

26. Надо положить бумагу на стол.

27. Мы не имели влияния на государство.

28. Они не понимали значения ответа.

29. Он всё критикует, но ничего не делает.

30. Можно читать в библиотеке вечером?

31. В Советском Союзе нельзя критиковать государство.

32. Днём он работает в городе, а ночью он спит в деревне.

33. Роль религии в современной жизни — большая.

Упражнения (Exercises)

A. *Dictionary practice.* The following selections have been taken from standard Russian texts. Your grammatical preparation should be sufficient to enable you to make accurate translations. Words that you do not know should be looked up in your dictionary.

1. Вода океана содержит, в среднем, в 1 л 27 г хлористого натрия, 0,8 г хлористого калия, 3,2 г хлористого магния, 2,1 г серномагниевой соли, 1,3 сернокальциевой соли.

2. Татарское иго тяжело лежало на Руси. Оно разрушало хозяйство, задерживало развитие русской общественной и

государственной жи́зни, и оскорбля́ло национа́льное чу́вство. И всё же завоева́тель не смог сломи́ть ру́сский наро́д.

3. В э́то вре́мя в гости́ную вошло́ но́вое лицо́. Но́вое лицо́ э́то был молодо́й князь Андре́й Болко́нский, муж ма́ленькой княги́ни. Князь Болко́нский был небольшо́го ро́ста, весьма́ краси́вый молодо́й челове́к. Всё в его́ фигу́ре представля́ло ре́зкую противополо́жность с его́ ма́ленькой жено́й.

B. Put the indicated words into the case required by the preposition.

1. Он стои́т за _____ {большо́е зда́ние. / но́вая библиоте́ка. / ру́сский го́спиталь.

2. Мы не хоти́м говори́ть с(о) _____ {ста́рый профе́ссор. / ва́жный кри́тик. / молода́я жена́.

3. Тру́дно жить без _____ {телефо́нное сообще́ние. / хоро́ший автомоби́ль.

4. Ко́лба упа́ла с(о) _____ (стол).

5. Он шёл к _____ {знамени́тый фи́зик. / но́вый го́род. / ста́рая дере́вня. / си́нее мо́ре.

6. Она́ стоя́ла ме́жду _____ {специали́ст и до́ктор. / автомоби́ль и зда́ние.

7. Он э́то сде́лал для _____ {но́вое госуда́рство. / молода́я жена́.

8. Мы говори́ли о(б) _____ {ру́сская культу́ра. / америка́нская исто́рия. / ва́жный челове́к. / тру́дный вопро́с.

9. Кни́га лежа́ла пе́ред _____ {дверь. / стол. / профе́ссор. / ко́лба.

C. *Practice declensions* (a suggested exercise for increasing the student's skill in identifying case endings):
1. си́ний цвет. 2. вся́кий го́спиталь. 3. типи́чный приме́р. 4. дорого́е сырьё. 5. большо́е влия́ние. 6. кинети́ческая эне́ргия. 7. после́днее уравне́ние. 8. тяжёлая жизнь. 9. хоро́ший день. 10. интере́сный америка́нец.

EIGHTH LESSON

Слова́рь (Vocabulary)

веду́щий	leading	пора́	time, season
во́семь	eight	по́сле (+ gen.)	after
восьмо́й	eighth	после́дний	last
всеми́рный	universal	пра́во	law, right
вско́ре	soon, shortly	продолже́ние	continuation
год	year	пусть	let!
друго́й	other, different	сле́довать	to follow, to be necessary
его́	his		
како́й	which, what kind of	слу́шать	to listen to
		смерть (f.)	death
мно́го (+ gen.)	much, many	созда́ние	creation
называ́ть (назва́ть)	to name call	состоя́ть (из + gen.)	to consist (of)
неде́ля	week	СССР	U.S.S.R.
не́мец	German (noun)	тако́й	such, such a
никто́	no one	това́рищ	comrade
одна́ко	however	тот, та, то ; те	that; those
осно́вывать (основа́ть)	to found	умира́ть (умере́ть ; умру́, умрёшь ; past, у́мер, умерла́) to die	
отделе́ние	department, branch, separation	учрежде́ние	establishment, institution
отмеча́ть (отме́тить)	to note	че́рез (+ acc.)	through, by
оши́бка	error	шуме́ть (зашуме́ть)	to make noise
пока́зывать (показа́ть)	to show		

Associated Words

нау́ка	science, knowledge	смотре́ть (посмотре́ть) (на + acc.)	to look (at)
нау́чный	scientific		

52

находи́ть (найти́)	to find	уме́ть	to know how
никогда́	never	учёный	scientist, scientific
обознача́ть (обозна́чить)	to denote		

Loan Words

акаде́мик	academician	организа́ция	organization
акаде́мия	academy	репута́ция	reputation
бакте́рия	bacterium	техни́ческий	technical
биологи́ческий	biological	фи́зика	physics
географи́ческий	geographical	филосо́фия	philosophy
геоло́гия	geology	хими́ческий	chemical
Герма́ния	Germany	цари́ца	empress, tsarina
литерату́ра	literature	царь (*m.*)	emperor, tsar
математи́ческий	mathematical	эконо́мика	economics

Expressions for Memorization

сле́дует отме́тить	one must note, is necessary to note
и др. (и други́е)	and others, *et al.*
с тех пор	since then
в э́том году́	this year (*lit.* in this year)

Сле́дует отме́тить, что Пётр Пе́рвый мно́го сде́лал для организа́ции ру́сской Акаде́мии Нау́к.

It should be noted that Peter I did a great deal for the organization of the Russian Academy of Sciences.

Алекса́ндр Бэл, То́мас Уа́тсон, То́мас Э́дисон **и др.** рабо́тали над пробле́мой телефо́нного сообще́ния.

Alexander Bell, Thomas Watson, Thomas Edison and others worked on the problem of telephonic communication.

Вчера́ жена́ поби́ла му́жа. **С тех пор** он лежи́т* в го́спитале.

Yesterday the wife beat her husband. Since then he has been in the hospital.

Госуда́рство откры́ло друго́е но́вое учрежде́ние **в э́том году́**.

The government opened another new institution this year.

Грамма́тика (Grammar)

8-A. Declensions of Nouns in the Plural

1. *Nominative plural*

   a. Masculine and feminine. Most masculine and feminine nouns take **-ы** for the nominative plural if the final consonant is hard (non-

* Action begun in the past and continued in the present is expressed by a verb in the present tense.

palatalized) and **-и** if the final consonant is soft. After **г, к, х, ж, ч, ш**, and **щ** also the plural ending must be **-и** owing to spelling rules.

Masc.	*nom. sing.*	вопро́с	оте́ц	писа́тель	слу́чай	ге́ний	хи́мик
	nom. pl.	вопро́сы	отцы́	писа́тели	слу́чаи	ге́нии	хи́мики
Fem.	*nom. sing.*	ла́мпа	соль	дере́вня	рели́гия		
	nom. pl.	ла́мпы	со́ли	дере́вни	рели́гии		

There is a limited number of masculine nouns which take accented **-а́** and **-я́** for the nominative plural.

ве́чер, вечера́   **профе́ссор**, профессора́

A list of these is presented in Appendix D.

b. Neuter. A neuter noun takes **-а** for the nominative plural if the final consonant is hard. After a vowel, or if the final consonant is soft, the ending is **-я**.

Neut.	*nom. sing.*	ме́сто	по́ле	учрежде́ние
	nom. pl.	места́	поля́	учрежде́ния

2. Genitive plural

a. Masculine. Nouns ending in a hard consonant take **-ов**; those ending in **-й** take **-ев** (or **-ёв**, if accented); and those ending in **-ь** or **ж, ч, ш, щ** take **-ей**.

Masc.	*nom. sing.*	вопро́с	слу́чай	писа́тель	това́рищ
	gen. pl.	вопро́сов	слу́чаев	писа́телей	това́рищей

b. Feminine. Those nouns ending in **-а** and **-я** take a ''zero'' ending: i.e., they drop the final vowel. Note that those ending in **-я** must replace this with **-ь** to retain the palatalized quality of the stem consonant. Nouns ending in **-ь** take **-ей** (as do masculine nouns in **-ь**) and those ending in **-ия** take **-ий**.

Fem.	*nom. sing.*	ла́мпа	неде́ля	соль	рели́гия
	gen. pl.	ламп	неде́ль	соле́й	рели́гий

c. Neuter. Those nouns ending in **-о** take a ''zero'' ending; those in **-е** take **-ей**; and those in **-ие** take **-ий**.

Neut.	*nom. sing.*	ме́сто	по́ле	учрежде́ние
	gen. pl.	мест	поле́й	учрежде́ний

Note: Many feminine and neuter nouns whose *stems* end in two consonants insert an **-о-** or an **-е-** between these consonants in the genitive plural.

	nom. sing.	оши́бка	земля́	дере́вня	стекло́
	gen. pl.	оши́бок	земе́ль	дереве́нь	стёкол

3. *Accusative plural.* For all genders, the accusative endings agree with the nominative if the noun is *inanimate.* They agree with the genitive if the noun is *animate.* Thus, the accusative plurals of **вопрос** and **цена** are **вопросы** and **цены**, respectively, because these nouns are *inanimate.* But such nouns as **студент** and **жена** become **студентов** and **жён** in the accusative plural, because they are *animate.*

Note: Before proceeding to a discussion of the other plural case endings, the student should carefully study the following examples, which involve the use of *genitive* and *accusative plural nouns.*

Кто послал **студентов** за профессором?	Who sent the students for the professor?
Он не знает **цен автомобилей** в СССР.	He doesn't know the value of automobiles in the U.S.S.R.
Мы не видели **результатов опытов.**	We did not see the results of the experiments.
Он написал книгу о скорости **спутников.**	He wrote a book about the velocity of satellites.
Они читали трудный текст без **ошибок**	They read the difficult text without errors.
Здесь нет **столов.**	There are no tables here.
Не было **госпиталей** в большом городе.	There were no hospitals in the large town.
Немцы основали много **институтов.**	The Germans founded many institutes.
Создание Советским Союзом первого спутника имело большое значение для **американцев.**	The creation by the Soviet Union of the first satellite had great significance for Americans.
Книга состоит из **вопросов** и **ответов.**	The book consists of questions and answers.
Мы слышали **студенток** на улице.	We heard the girl students on the street.

4. *Dative, instrumental, and prepositional plurals.* For all nouns, regardless of gender, these endings are the same.

The dative plural ending is **-ам** (for soft stems **-ям**).
The instrumental plural is **-ами** (for soft stems **-ями**).
The prepositional plural is **-ах** (for soft stems **-ях**).

nom. sing.	вопро́с	царь	слу́чай	ла́мпа
dat. pl.	вопро́сам	царя́м	слу́чаям	ла́мпам
instr. pl.	вопро́сами	царя́ми	слу́чаями	ла́мпами
prep. pl.	вопро́сах	царя́х	слу́чаях	ла́мпах
nom. sing.	рели́гия	со́ль	ме́сто	по́ле
dat. pl.	рели́гиям	соля́м	места́м	поля́м
instr. pl.	рели́гиями	соля́ми	места́ми	поля́ми
prep. pl.	рели́гиях	соля́х	места́х	поля́х

Examples:

Жизнь писа́теля в **рука́х** специали́стов.	The life of the writer is in the hands of specialists.
Учёный не хоте́л говори́ть с **инжене́рами**.	The scholar did not want to talk with the engineers.
Исто́рик пи́шет о **рели́гиях** в Аме́рике.	The historian is writing about religions in America.
Акаде́мик объясни́л **студе́нтам** вопро́сы эконо́мики.	The academician explained problems of economics to the students.
— Опыты с **бакте́риями** име́ют большо́е значе́ние, — сказа́л био́лог.	"Experiments with bacteria have great significance," said the biologist.

8-B. Declensions of Adjectives in the Plural

These endings are quite regular and are the same for all genders of nouns modified. There are two types: *hard* and *soft*.

HARD PLURAL ADJECTIVAL DECLENSION

nom. sing. **но́вый** (стол) **но́вая** (ла́мпа) **но́вое** (пра́во)

nom. pl.	но́в**ые**	(столы́, ла́мпы, права́)
gen. pl.	но́в**ых**	(столо́в, ламп, прав)
dat. pl.	но́в**ым**	(стола́м, ла́мпам, права́м)
acc. pl.	но́в**ые**	(столы́, ла́мпы, права́)
instr. pl.	но́в**ыми**	(стола́ми, ла́мпами, права́ми)
prep. pl.	но́в**ых**	(стола́х, ла́мпах, права́х)

SOFT PLURAL ADJECTIVAL DECLENSION

nom. sing. **после́дний** (уро́к) **после́дняя** (би́тва) **после́днее** (ме́сто)

nom. pl.	после́дн**ие**	(уро́ки, би́твы, места́)
gen. pl.	после́дн**их**	(уро́ков, битв, мест)
dat. pl.	после́дн**им**	(уро́кам, би́твам, места́м)

acc. pl.	после́дние	(уро́ки, би́твы, места́)
instr. pl.	после́дними	(уро́ками, би́твами, места́ми)
prep. pl.	после́дних	(уро́ках, би́твах, места́х)

Note: If the adjective modifies an animate plural noun in the accusative, the adjective, like the noun it modifies, must take a genitive plural ending.

Examples:

Мы рабо́тали с **знамени́тыми акаде́миками**.	We were working with famous academicians.
Он написа́л **сло́жные хими́ческие уравне́ния** без оши́бок.	He wrote the complex chemical equations without errors.
Кто объясни́т **америка́нским студе́нтам** значе́ние **сове́тских о́пытов**?	Who will explain the significance of the Soviet experiments to the American students?
Почему́ рома́н Гёте тро́нул **молоды́х не́мцев**?	Why did Goethe's novel move (touch) the young Germans?
Созда́ние **совреме́нных нау́чных учрежде́ний** да́ло **хоро́шие результа́ты**.	The creation of modern scientific establishments has yielded (given) good results.
В **сове́тских институ́тах** рабо́тают по **но́вым ме́тодам**.	In Soviet institutes they work according to new methods.

8-C. Тако́й, како́й, э́тот, тот

1. Once the student has come to recognize regular adjectival endings, he will have little difficulty with such adjectives as **тако́й** (*such*) and **како́й** (*which? what kind of? what? what a!*).

	SINGULAR			PLURAL
Case	*m.*	*f.*	*n.*	*all genders*
nom.	тако́й	така́я	тако́е	таки́е
gen.	тако́го	тако́й	тако́го	таки́х
dat.	тако́му	тако́й	тако́му	таки́м
acc.	тако́й (тако́го)	таку́ю	тако́е	таки́е (таки́х)
instr.	таки́м	тако́й (тако́ю)	таки́м	таки́ми
prep.	тако́м	тако́й	тако́м	таки́х

2. **Э́тот** (*this*) is declined as follows:

Case	SINGULAR *m.*	*f.*	*n.*	PLURAL *all genders*
nom.	э́тот	э́та	э́то	э́ти
gen.	э́того	э́той	э́того	э́тих
dat.	э́тому	э́той	э́тому	э́тим
acc.	э́тот (э́того)	э́ту	э́то	э́ти *or* э́тих
instr.	э́тим (!)	э́той (э́тою)	э́тим (!)	э́тими
prep.	э́том	э́той	э́том	э́тих

3. **Тот** (*that one, that*) is declined like **э́тот** in the singular (except for the masculine and neuter instrumental, which is **тем**) and as follows in the plural:

nom. pl.	те
gen. pl.	тех
dat. pl.	тем
acc. pl.	те *or* тех
instr. pl.	те́ми
prep. pl.	тех

4. Examples:

Кака́я ра́зница ме́жду **э́тими** слова́ми?	What is the difference between these words?
Я о́чень хочу́ рабо́тать с **таки́ми** знамени́тыми специали́стами.	I want very much to work with such famous specialists.
Вы понима́ете значе́ние **э́тих** слов?	Do you understand the significance of these words?
Кто чита́ет рома́ны **таки́х** писа́телей?	Who reads the novels of such writers?
Вы зна́ете це́ны **тех** автомоби́лей?	Do you know the prices of those automobiles?
По **э́тим** у́лицам е́здил царь.	The Tsar rode along these streets.

8-D. Никто́, ничего́, никогда́

In sentences with **никто́** (*nobody, no one*), **ничего́** (*nothing*), and **никогда́** (*never*), the verb must be negated by **не**.

Examples:

Никто́ не принёс аппара́та.	No one brought the apparatus.
Э́то **ничего́ не** дока́зывает.	This does not prove anything.
Оте́ц **никогда́ не** был в Евро́пе.	Father was never in Europe.

Note: Even "triple" and "quadruple" negatives occur when using more than one of these words:

В э́том институ́те **никто́ никогда́ ничего́ не** знал.	In this institute no one ever knew anything.

8-E. The Imperative Mood

This is the verb form expressing orders or commands.

1. The imperative of the *second person* singular and plural. The *stem* of the imperative is the third person plural minus **-ют (-ут)** or **-ят (-ат)**.

a. If the stem ends in a vowel, the imperative ending is **-йте** (**-й** in the familiar form).

b. If the stem ends in a consonant and if the first singular ending is accented, **-йте (-й)** occurs.

c. If the stem ends in a consonant and if the first singular ending is *not* accented, **-ьте (-ь)** occurs after a single consonant and **-ите (-и)** after two consonants.

IMPERATIVE ENDING	INFINITIVE	1ST PERSON SING.	3RD PERSON PL.	STEM	IMPERATIVE
-йте	чита́ть	чита́ю	чита́ют	чита-	чита́йте!
	откры́ть	откро́ю	откро́ют	откро-	откро́йте!
-ите	говори́ть	говорю́	говоря́т	говор-	говори́те!
	шуме́ть	шумлю́	шумя́т	шум-	шуми́те!
-ьте	пове́рить	пове́рю	пове́рят	повер-	пове́рьте!

Examples:

Чита́йте уро́к!	Read the lesson!
Откро́йте дверь!	Open the door!
Говори́те гро́мко!	Speak loudly!
Не шуми́те!	Do not make noise!
Пове́рьте или нет!	Believe it or not!

2. *The first person plural imperative.* In technical expository prose, especially in mathematics, the reader will very often encounter first person plural imperatives: e.g., "let us suppose"; "let us note." This imperative is formed from the first person plural of the regular future perfective, minus the pronoun.

PERFECTIVE	1ST PERSON PLURAL IMPERATIVE	MEANING
приня́ть	при́мем	let us assume
взять	возьмём	let us take
отме́тить	отме́тим	let us note
найти́	найдём	let us find
посмотре́ть (на + *acc.*)	посмо́трим	let us look at
положи́ть	поло́жим	let us suppose
обозна́чить	обозна́чим	let us denote
показа́ть	пока́жем	let us show
назва́ть (+ *instr.*)	назовём	let us name, call

Examples:

Отме́тим, что нет тако́го институ́та при акаде́мии.

Let us note that there is no such institute in the academy.

Поло́жим, что нет друго́го ме́тода.

Let us suppose that there is no other method.

Обозна́чим ско́рость реа́кции че́рез V.

Let us designate the velocity of the reaction by (*lit. through*) V.

Посмо́трим на но́вый аппара́т.

Let us look at the new apparatus.

«**Назовём** э́тот но́вый элеме́нт ра́дием», сказа́л Кюри́.

"*Let us call* this new element radium," said Curie.

3. *Third person imperative.* A third person imperative is formed by placing **пусть** before the third person singular or plural.

Пусть они́ слу́шают.

Let them listen.

Пусть он ска́жет дире́ктору.

Let him tell the director.

Пусть он найдёт отве́т.

Let him find the answer.

4. *The infinitive is sometimes used in an imperative sense.* This is especially true in the case of written instructions, assignments, slogans, and the like. Study the following examples:

Показа́ть, что ско́рость реа́кции зави́сит от температу́ры воды́.

Show that the reaction's velocity depends on the temperature of the water.

Объясни́ть результа́ты четвёртого о́пыта.

Explain the results of the fourth experiment.

Не **шуме́ть**!

Do not *make noise*!

Текст (Text)

Read and translate.

АКАДЕМИЯ НАУК СССР (I)

Академия Наук СССР — ведущее научное учреждение Советского Союза. Эта академия имеет всемирную репутацию. Царь Пётр Первый мечтал* о создании русской академии наук и много сделал для организации этого научного учреждения. Но Пётр умер в 1725 году и его вторая жена, царица Екатерина Первая, основала Академию Наук вскоре после смерти мужа. Говорят, что она не умела ни читать, ни писать по-русски.

С тех пор при Академии Наук работали такие знаменитые русские учёные как М. В. Ломоносов, Н. И. Лобачевский, И. П. Павлов и др. Следует однако отметить, что первые академики были не русские, а немцы.

Сегодня Академия Наук СССР состоит из восьми научных отделений: физико-математических наук, химических наук, геолого-географических наук, биологических наук, технических наук, истории и философии, экономики и права, литературы и языка.

(продолжение следует)

Упражнения (Exercises)

A. Select the correct pairs of words, explain your choice, and translate.

1. Инженёр не верил ⎰молодых изобретателей. ✓
⎱молодых изобретателях.
⎰молодым изобретателям.

2. Вы знаете ⎰последним известиям?
⎱последних известий?
⎰последние известия? ✓

3. Академик показывает ⎰американских биологов⎱
⎰американским биологам⎱ научные
⎰американских биологах⎱ журналы.

4. Вы читали романы ⎰современных писателей? ✓ _ дел. т._
⎱современных писателях?
⎰современные писатели?

* **мечтать** to dream.

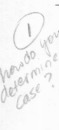

5. Каки́х но́вых учрежде́ний 〉
   Каки́м но́вым учрежде́ниям 〉 госуда́рство откры́ло в э́том году́?
   Каки́е но́вые учрежде́ния 〉

6. Мы чита́ем об 〈интере́сных результа́тах
   интере́сных результа́тов 〉 э́того о́пыта.
   интере́сными результа́тами〉

7. Почему́ не́мец не хоте́л говори́ть

   с 〈сове́тскими специали́стами?
   сове́тским специали́стам?
   сове́тских специали́стов?

8. Из 〈каки́ми соля́ми
   каки́х соля́х 〉 э́то состои́т?
   каки́х соле́й 〉

9. Вот кни́га с 〈хоро́ших приме́ров.
   хоро́ших приме́рах. 〉
   хоро́шими приме́рами.〉

10. Исто́рик писа́л о 〈знамени́тыми ру́сскими царя́ми.
    знамени́тых ру́сских царя́х.
    знамени́тых ру́сских царе́й.

B. Insert the appropriate preposition and translate.

1. Ско́рость реа́кции зави́сит _____ температу́ры. 2. Бакте́рии лежа́т _____ стекло́м. 3. Никто́ не мо́жет жить _____ на́трия? 4. Оте́ц посла́л _____ до́ктором. 5. Ле́то _____ весно́й и о́сенью. 6. Они́ говори́ли _____ всеми́рной репута́ции Акаде́мии Нау́к. 7. Студе́нт говори́л _____ други́м не́мцем. 8. Мы спа́ли _____ уро́ком. 9. Акаде́мия состои́т _____ нау́чных отделе́ний. 10. Фи́зик ничего́ не де́лает _____ организа́ции институ́та.

C. Put the following sentences into the plural and translate.

1. Лаборато́рия принадлежи́т сове́тскому институ́ту. 2. Э́то сло́во име́ет интере́сное значе́ние. 3. Би́тва име́ла ме́сто на большо́м по́ле. 4. Она́ дала́ сове́тскому специали́сту ва́жное сообще́ние. 5. Раке́та па́дает с большо́й ско́ростью. 6. Студе́нт не чита́л после́днего уро́ка. 7. Э́то — кни́га о ста́ром го́роде. 8. Биолог произво́дит э́тот о́пыт в институ́те. 9. Кри́тик не слу́шает слов чита́теля.

D. Rearrange the following sentences to produce a meaningful sequence of events and translate:

10 С тех пор она́ живёт там у сестры́.

8 Он у́мер там.

4 Отме́тим, что э́ти о́пыты име́ли большо́е значе́ние для нау́ки.

3 В институ́те он производи́л интере́сные о́пыты.

6 Он лежа́л на у́лице.

7 Отнесли́ Акаде́мика Ивано́ва в го́спиталь.

9 По́сле сме́рти му́жа, жена́ Акаде́мика Ивано́ва пое́хала к сестре́ в Ленингра́д.

5 Одна́жды* Акаде́мик Ивано́в попа́л под маши́ну.†

1 Акаде́мик Ивано́в был знамени́тый учёный.

2 Он основа́л институ́т техни́ческих нау́к.

* **одна́жды** once.

† **попа́л под маши́ну** was hit by a car.

E. Decline in the singular and in the plural.

1. тру́дное сло́во. 2. сло́жная теоре́ма. 3. у́мный отве́т.
4. америка́нское пра́во. 5. сове́тская нау́ка. 6. интере́сный слу́чай. 7. больша́я ско́рость. 8. но́вое отделе́ние. 9. друго́й не́мец.

1. The labatory belongs to the Soviet institutes

2. This word has an interesting meaning

3.

Девя́тый Уро́к

NINTH LESSON

[handwritten: SESSON 2 P.M. JULY 6th]

Слова́рь (Vocabulary)

встреча́ться (встре́титься)	to meet	представля́ть (предста́вить)	to present
грузи́нский	Georgian (*adj.*)	раство́р	solution (e.g., of a chemical)
девя́тый	ninth		
её	her	ре́дкий	rare
иногда́	sometimes	реше́ние	solution, decision
иссле́дователь-ский	research (*adj.*)	самолёт	airplane
		самостоя́тель-ный	independent
ка́ждый	each		
коли́чество	quantity	себя́	self
кру́пный	large, coarse	соста́в	composition
о́бщество	society	станови́ться (стать)	to become (*pf. only*, to begin)
о́коло (+ *gen.*)	near		
относи́ться (отнести́сь)	to regard, to relate to	страна́	country
		холо́дный	cold
о́трасль (*f.*)	branch	чем	than
поле́зный	useful	явле́ние	phenomenon
по́льзоваться (воспо́льзоваться) (+ *instr.*)	to use	явля́ться (яви́ться)	to be, to appear, to appear before

Associated Words

бо́льше	(*adv.*) more	наприме́р	for example
входи́ть (войти́)	to enter	основно́й	basic, primary
зна́ние	knowledge, learning	отде́льный	separate
		рабо́та	work
изве́стный	famous, known	ра́зный	various, different
име́ться	to be	сове́т	council, advice
каза́ться (показа́ться)	to seem	узнава́ть (узна́ть)	to find out

64

Loan Words

армя́нский	Armenian (*adj.*)	о́рган	organ, member
коми́ссия	commission	райо́н	region
комите́т	committee	респу́блика	republic
метаморфо́за	metamorphosis	ста́нция	station
обсервато́рия	observatory	узбе́кский	Uzbek (*adj.*)

Expressions for Memorization

само́ собо́й разуме́ется	it goes without saying
относи́ться к (+ *dat.*)	to relate to, to regard, to have an attitude towards
что каса́ется (+ *gen.*)	so far as . . . is (are) concerned
обраща́ть внима́ние на (+ *acc.*)	to pay attention to

Само́ собо́й разуме́ется, что в Аме́рике хоро́шие инжене́ры.
It goes without saying that there are good engineers in America.

Как сове́тские био́логи **отно́сятся к** э́той тео́рии?
What is the Soviet biologists' attitude toward this theory?

Что каса́ется пла́нов дире́ктора. . . .
So far as the director's plans are concerned. . . .

Никто́ не **обраща́л внима́ния на** слова́ кри́тика.
No one paid attention to the words of the critic.

Грамма́тика (Grammar)

9-A. Personal and Interrogative Pronouns

1. Personal pronouns in the first and second persons are declined as follows:

nom.	я	ты	мы	вы
gen.	меня́	тебя́	нас	вас
dat.	мне	тебе́	нам	вам
acc.	меня́	тебя́	нас	вас
instr.	мной (мно́ю)	тобо́й (тобо́ю)	на́ми	ва́ми
prep	обо мне́	о тебе́	о нас	о вас

Examples:

Хи́мик **нас** не ви́дит.	The chemist does not see *us*.
Что он **вам** сказа́л?	What did he tell *you*?
Америка́нка лю́бит **меня́**.	The American woman loves *me*.
Дире́ктор хо́чет **вам** показа́ть результа́ты о́пыта.	The director wants to show *you* the results of the experiment.

2. Third person personal pronouns resemble the *soft* endings of such adjectives as **синий** and **последний**. These forms are prefixed by an **н-** *when the pronoun is the object of a preposition.*

	SINGULAR			PLURAL
Case	*m.*	*f.*	*n.*	*for all genders*
nom.	он	она́	оно́	они́
gen.	его́	её	его́	их
dat.	ему́	ей	ему́	им
acc.	его́	её	его́	их
instr.	им	ей (е́ю)	им	и́ми
prep.	о **нём**	о **ней**	о **нём**	о **них**

Examples:

Я ви́дел **его́** вчера́.	I saw *him* yesterday.
Вы ве́рите **ему́**?	Do you believe *him*?
Иди́те к **ней** и скажи́те **ей**, что здесь нет со́ли.	Go to *her* and tell *her* that there is no salt here.
Вы ча́сто ду́маете о **них**?	Do you often think of *them*?

3. The relative and interrogative pronouns **кто** and **что**.

nom.	кто	что
gen.	кого́	чего́
dat.	кому́	чему́
acc.	кого́	что
instr.	кем (!)	чем (!)
prep.	о ком	о чём

Examples:

О ком кри́тик написа́л э́ти слова́?	*About whom* did the critic write these words?
С кем она́ пошла́ в лаборато́рию?	*With whom* did she go to the laboratory?
Чего́ вы не понима́ете?	*What* don't you understand?

9-B. Reflexive Verbs

1. Russian reflexive verbs end in the suffix **-ся** (if the letter *preceding* the suffix is a consonant or soft sign) or **-сь** (if the letter preceding the suffix is a vowel). They often correspond to English verbs that are accompanied by a reflexive pronoun. In such cases, the suffix indicates that the action is directed towards the subject of the verb.* For example, the verb **одева́ться** means *to dress*

* *Caution:* A few reflexive verbs have meanings quite different from their non-reflexive forms. Example: **приходи́ться**. See ¶ 10-A.

oneself, whereas the non-reflexive form **одева́ть** means *to dress* (*someone else*).

я одева́ю**сь**	I dress *myself*
ты одева́ешь**ся**	you dress *yourself*
он одева́ет**ся**	he dresses *himself*
мы одева́ем**ся**	we dress *ourselves*
вы одева́ете**сь**	you dress *yourself* (or *yourselves*)
они одева́ют**ся**	they dress *themselves*

2. Reflexive verbs may have a passive meaning, as seen from the following examples:

В лаборато́рии **произво́-дится** поле́зный о́пыт.

In the laboratory a useful experiment *is being conducted*.

Таки́е хими́ческие раство́ры ча́сто **встреча́ются**.

Such chemical solutions *are* often *encountered*.

Э́то явле́ние ре́дко **встреча́ется**.

This phenomenon *is* rarely *encountered*.

3. A number of Russian reflexive verbs cannot be translated by the English passive or by reflexive verbs: for example, **каза́ться** (*to seem*), **по́льзоваться** (*to use, to take advantage of*).

Мне **ка́жется**, что бакте́рии у́мерли.

It seems to me that the bacteria have died.

В э́тих о́пытах он **по́льзу-ется** больши́ми коли́че-ствами на́трия.

In these experiments he *uses* large quantities of sodium.

4. The imperfect aspect of the verb *to become* is reflexive in form (**станови́ться**). Its perfective aspect **стать**, which may also mean *to begin*, is non-reflexive. Both forms are often followed by the instrumental.

Мета́лл **стано́вится** холо́дн-ым.

The metal is getting (becoming) cold.

Он **стал** изве́стным изобре-та́телем.

He became a famous inventor.

Институ́т **стал** изве́стным нау́чным учрежде́нием.

The institute became a famous scientific institution.

Студе́нты **ста́ли** шуме́ть.

The students began to make noise.

5. **Являться** is the imperfective aspect of **явиться** *to appear before, to report to*, but its most common meaning is simply *to be*. It is used with the instrumental.

Микроско́п **явля́ется** по-ле́зным аппара́том.	The microscope is a useful apparatus.

A frequently used construction which may baffle English-speaking readers is that in which **явля́ться** is *followed* by its subject.

Основны́м о́рганом Акаде́мии **явля́ется** институ́т.	The institute is the fundamental organ of the Academy.
Результа́том э́того о́пыта **явля́ется** но́вая тео́рия.	A new theory is the result of this experiment.

The following example, taken from a Soviet publication, is typical of sentences involving this construction:

Важне́йшим усло́вием мобилиза́ции масс на акти́вное реше́ние поста́вленных па́ртией зада́ч коммунисти́ческого строи́тельства **явля́ется** повседне́вная пропага́нда уче́ния маркси́зма-ленини́зма.	Daily propagation of Marxist–Leninist dogma is a most important condition of mobilizing the masses for active solution of party-set tasks of Communist construction.

9-C. The Reflexive Pronoun "себя́"

The reflexive pronoun **себя́** (*self*) refers to the subject of the sentence and *has no nominative case*. In other cases it is declined as follows:

sing. & pl., m., f., n.

nom.	none
gen.	себ**я́**
dat.	себ**е́**
acc.	себ**я́**
instr.	соб**о́й** (соб**о́ю**)
prep.	себ**е́**

Examples:

Хи́мик сде́лал **себе́** но́вый аппара́т.	The chemist made *himself* a new apparatus.
Он ча́сто говори́т **о себе́**.	He often speaks *about himself*.
Возьмём **с собо́й** това́рищей.	Let's take some comrades *with us*.

The reflexive pronoun appears in some rather idiomatic expressions which are frequently encountered in technical Russian.

Метаморфо́за **представля́ет собо́й** интере́сное явле́ние.	Metamorphosis *is* (*lit.* presents by itself) an interesting phenomenon.
Само́ собо́й разуме́ется, что реше́ние э́того вопро́са нас не каса́ется.	It goes without saying that the solution of this problem does not concern us.

9-D. The Particle "ли"

The particle **ли** may be used in questions calling for a "yes" or "no" answer. **Ли** is also used in constructions which call for the word *whether* in English:

Examples:

Интере́сно **ли** э́то?	Is this interesting?
Кри́тик хоте́л знать, чита́ли **ли** они́ рома́н.	The critic wanted to know whether they had read the novel.
На́до знать, пошёл **ли** он в лаборато́рию и́ли нет.	It is necessary to know whether he went to the laboratory or not.

9-E. "Как" as a Conjunction

The word **как**, in addition to serving as an adverb of manner ("how"), may be used as a conjunction in sentences *where in English a participle is used*. In the examples below, note also the *sequence of tenses*.

Он не ви́дел, **как** самолёты летя́т над Москво́й.	He did not see the planes flying over Moscow.
Но он слы́шал, **как** шумя́т студе́нты.	But he heard the students making noise.

9-F. Numerals

1 оди́н, одна́, одно́	7 семь
2 два (*m. and n.*), две (*f.*)	8 во́семь
3 три	9 де́вять
4 четы́ре	10 де́сять
5 пять	11 оди́ннадцать
6 шесть	12 двена́дцать

13 тринадцать		60	шестьдесят
14 четырнадцать		70	семьдесят
15 пятнадцать		80	восемьдесят
16 шестнадцать		90	девяносто
17 семнадцать		100	сто
18 восемнадцать		200	двести
19 девятнадцать		300	триста
20 двадцать		400	четыреста
21 двадцать один		500	пятьсот
22 двадцать два		600	шестьсот
23 двадцать три		700	семьсот
30 тридцать		800	восемьсот
40 сорок		900	девятьсот
50 пятьдесят		1000	тысяча

1. The numeral *one* is an *adjective* and is declined as follows:

Case	*m.*	*f.*	*n.*
nom.	один	одна	одно
gen.	одного	одной	одного
dat.	одному	одной	одному
acc.	один (одного)	одну (!)	одно
instr.	одним (!)	одной	одним (!)
prep.	об одном	об одной	об одном

Note the following examples:

Здесь **одна** книга.	There is one book here.
Можно это доказать **одним** примером.	It is possible to prove this by one example.

2. The numerals *two*, *three*, and *four* are declined as follows:

nom.	два, две*	три	четыре
gen.	дв**ух**	тр**ёх**	четыр**ёх**
dat.	дв**ум**	тр**ём**	четыр**ём**
acc.	два, две (дв**ух**)	три (тр**ёх**)	четыре (четыр**ёх**)
instr.	дв**умя**	тр**емя**	четыр**ьмя**
prep.	дв**ух**	тр**ёх**	четыр**ёх**

3. Numerals from *five through twenty* have the same endings as **пять**.

nom.	пять
gen.	пят**и**
dat.	пят**и**
acc.	пять
instr.	пят**ью**
prep.	пят**и**

The declension is the same as for any feminine noun ending in **-ь**.

* In the nominative case, **два** is used with *masculine* and *neuter nouns* and **две** with *feminine*.

4. When *two*, *three*, or *four* are nominative or accusative in context and used with inanimate nouns, the dependent noun is in the genitive singular and its modifiers are in the genitive or (less often) nominative plural.

Мы имеем **три** книги.	We have three books.
В городе **две** лаборатории.	In the town there are two laboratories.
Биолог нам показал **четыре** новых (новые) микроскопа.	The biologist showed us four new microscopes.

5. When numbers *five and above* are nominative or accusative in context, the dependent nouns and adjectives are in the genitive plural.

В книге было **девять** трудных вопросов.	There were nine difficult questions in the book.
Студент написал **восемь** хороших ответов.	The student wrote eight good answers.

6. When numerals *two*, *three*, *four*, *five and above* are in any other case (i.e., animate accusative, genitive, dative, instrumental, prepositional), the dependent nouns and adjectives are in the same case as the numeral and in the plural.

Мы спали около восьми часов.	We slept about eight hours.
Физик пишет письмо **двум** советским химикам.	The physicist is writing a letter to two Soviet chemists.
Мы живём между **двумя** новыми зданиями.	We live between two new buildings.

Текст (Text)

Read and translate.

АКАДЕМИЯ НАУК СССР (II)

Основными органами научно-исследовательской работы Академии Наук являются её исследовательские институты. Она состоит из больше чем пятидесяти научно-исследовательских институтов. В ней также имеются самостоятельные лаборатории — крупные научные учреждения, обсерватории, музеи, станции; в её состав входят также научные общества по разным отраслям знания.

Академия Наук имеет в разных республиках и районах страны

кру́пные филиа́лы.[1] Эти филиа́лы иногда́ преобразу́ются[2] в
акаде́мии нау́к отде́льных респу́блик, как э́то бы́ло с филиа́лами
Акаде́мии в Грузи́нской ССР, Армя́нской ССР, Узбе́кской ССР
и др.

is this word redundant?

Само́ собо́й разуме́ется, ка́ждое нау́чное отделе́ние Акаде́мии
Нау́к СССР состои́т из ра́зных институ́тов, лаборато́рий, биб-
лиоте́к и пр.[3] Наприме́р, отделе́ние фи́зико-математи́ческих
нау́к име́ет во́семь нау́чно-иссле́довательских институ́тов, две
самостоя́тельных лаборато́рии, во́семь коми́ссий и комите́тов,
два сове́та, пятна́дцать библиоте́к, два́дцать три* ста́нции и одно́
нау́чное о́бщество.

Упражне́ния (Exercises)

A. *Dictionary practice.*

УРА́Л

Положе́ние и о́бщая характери́стика. Ура́л занима́ет промеж-
у́точное положе́ние: его́ за́падная полови́на лежи́т в Евро́пе,
восто́чная — в А́зии. Среди́нную часть Ура́ла занима́ют Ура́ль-
ские го́ры, и по водоразде́льному хребту́ их прово́дится грани́ца
ме́жду э́тими двумя́ частя́ми све́та.

Ура́л явля́ется промежу́точным не то́лько по своему́ поло-
же́нию, но и по приро́де. На его́ обши́рной террито́рии сбли-
жа́ются ландша́фты се́вера и ю́га, восто́ка и за́пада. На се́вере
Ура́ла о́чень продолжи́тельные зи́мы с си́льными моро́зами и
глубо́кими снега́ми; там расту́т обши́рные хво́йные леса́. На
ю́ге встреча́ются горя́чее дыха́ние сосе́дних полупусты́нь
Казахста́на и холо́дные зи́мние бура́ны. Там нахо́дятся и
плодоро́дные сте́пи и солончаки́ на восто́ке.

Ура́л—о́бласть дре́вних гор сре́дней высоты́. Э́то о́бласть
грома́дных бога́тств, гла́вным о́бразом металли́ческих: желе́за,
ре́дких мета́ллов — ме́ди, зо́лота, пла́тины, а та́кже ре́дких
драгоце́нных камне́й, асбе́ста, со́ли, ка́менного угля́, не́фти. На
э́тих бога́тствах развила́сь го́рная и металлурги́ческая промы́ш-
ленность. Тепе́рь э́то о́бласть но́вых гига́нтских заво́дов —
металлурги́ческих, машинострои́тельных и хими́ческих; о́бласть,
где выплавля́ются миллио́ны тонн чугуна́, стро́ятся деся́тки
ты́сяч ваго́нов и тра́кторов.

PAST TENSE

---

[1] **филиа́л** affiliated branch
[2] **преобразо́вываться** (**преобразова́ться**) to turn into
[3] **и пр.** (**и про́чее**) and the like
* In *compound numerals*, the last number determines the case of the following
noun and adjective.

B. Fill in the blanks with the correct forms of the pronouns and translate.

1. Писа́тель ви́дел _____ (она́) вчера́.
2. Писа́тели ви́дели _____ (мы) вчера́.
3. Вы _____ (он) хорошо́ зна́ете?
4. Био́лог _____ (вы) хорошо́ зна́ет?
5. Фи́зик пое́дет в Ло́ндон без _____ (она́).
6. Фи́зики пое́дут в Москву́ без _____ (мы).
7. Иссле́дователь с _____ (вы) ча́сто говори́л?
8. Иссле́дователи с _____ (он) поговори́ли?
9. Иди́те в лаборато́рию без _____ (я).
10. Студе́нты пошли́ в лаборато́рию без _____ (вы).
11. Что хи́мик _____ (вы) сказа́л о _____ (он)?
12. Что хи́мики _____ (она́) сказа́ли о _____ (они́)?
13. Да́йте _____ (я) ко́лбу с раство́ром.
14. Они́ да́ли _____ (они́) ко́лбы с раство́рами.
15. Напиши́те _____ (она́), что всё в поря́дке.
16. Они́ написа́ли _____ (мы), что всё в поря́дке.
17. Профе́ссор _____ (я) встре́тил сего́дня и ничего́ не сказа́л _____ (я).
18. Профе́ссор _____ (мы) встре́тит за́втра, но ничего́ не ска́жет _____ (мы).
19. Жена́ специали́ста пошла́ с _____ (вы) в теа́тр?
20. Они́ не пойду́т с _____ (она́) в теа́тр.
21. Кто к _____ (она́) пришёл?
22. Кто к _____ (они́) придёт?
23. Э́тот специали́ст не хо́чет рабо́тать со _____ (я).
24. Био́логи жи́ли о́коло _____ (он).
25. Иди́те к _____ (он) и да́йте* _____ (он) э́то.
26. Они́ пошли́ к _____ (они́) и да́ли _____ (они́) пи́сьма.
27. Студе́нт не обраща́ет внима́ния на _____ (она́).
28. Студе́нты не обраща́ли внима́ния на _____ (мы).
29. Как он отно́сится к _____ (она́)?
30. Как она́ относи́лась к _____ (они́)?
31. Что дире́ктор сказа́л отцу́ о _____ (мы)?
32. Что дире́кторы ска́жут отцу́ обо _____ (я)?
33. Изобрета́тель там. Иди́те к _____ (он) и скажи́те _____ (он), что раство́р уже́ в ко́лбе.
34. Америка́нец э́то узна́л от _____ (она́)?
35. Нет, он э́то узнал от _____ (они́).

* Да́йте is an irregular imperative from the perfective дать; the imperfective imperative, from дава́ть, is also irregular: дава́йте.

36. Сделайте это с _____ (мы).

37. Не делайте этого для _____ (они).

C. Fill in the blanks with the appropriate form of the interrogative pronoun and translate:

1. С _____ (кто) вы говорите? 2. О _____ (что) думает изобретатель? 3. Около _____ (кто) стоит биолог? 4. _____ (что) объясняется это явление? 5. _____ (кто) директор послал за доктором? 6. О _____ (кто) думает молодой химик? 7. От _____ (что) зависит результат опыта? 8. _____ (кто) профессор доказывает теорию?

WHAT EXPLAINS THIS PHENOMENON?

Десятый Урок

TENTH LESSON

Слова́рь (Vocabulary)

бе́лый	white	мой, моя́, моё, мои́	my, mine
бли́зкий	close	наро́дный	popular, national
бог	a god	наш, на́ша, на́ше, на́ши	our, ours
боро́ться (поборо́ться)	to struggle		
борьба́	battle, conflict, fight, struggle	не́жели	than
		нера́вный	unequal
ваш, ва́ша, ва́ше, ва́ши	your, yours	ни́зкий	low
		ну́жный	necessary
весь, вся, всё, все	all, the whole	побе́да	victory
		получа́ть (получи́ть)	to receive, to obtain, to get
вид	form, kind, species, appearance, view	превраща́ться (преврати́ться)	to be transformed
		приходи́ться (прийти́сь)	to have to
возника́ть (возни́кнуть; *past:* возни́к, возни́кла) to arise			
высо́кий	high	свой, своя́, своё, свои́	my, his, her, its, our, your, their
далёкий	distant		
деся́тый	tenth	смысл	meaning, sense
дре́вний	ancient	совсе́м	quite, entirely
е́сли	if	созна́тельный	conscious
ино́й	other, different	судьба́	fate
их	their	у (+ *gen.*)	by, at, near
лёгкий	light, easy	утра́чивать (утра́тить)	to lose
ли́чный	personal		
ме́сяц	month, moon		

Associated Words

безвы́ходный	desperate	первонача́льный	original, primary
впосле́дствии	(*adv.*) later on	положе́ние	position, situation
де́ло	matter, thing, affair	представле́ние	performance, representation

75

назва́ние	name	произведе́ние	production, pro-
описывать	to describe		duct (*math.*),
описа́ть			work
о́бщий	common, public	раскрыва́ть	to uncover, to
отдава́ть (отда́ть)	to give up	(раскры́ть)	unveil

Loan Words

актри́са	actress	проце́сс	process
геро́й	hero	театра́льный	theatrical
Гре́ция	Greece	тео́рия	theory
до́ктор	doctor	траге́дия	tragedy
дра́ма	drama	хара́ктер	character
драмати́ческий	dramatic	Финля́ндия	Finland
матема́тика	mathematics		

Expressions for Memorization

во вре́мя (+ *gen.*)	during
таки́м о́бразом	thus, in this way
име́ть де́ло с (+ *instr.*)	to deal with
ввиду́ (+ *gen.*)★	in view of
в дальне́йшем	further, in what follows
в отли́чие от (+ *gen.*)	in distinction from, as opposed to

Во вре́мя би́твы под Сталингра́дом ру́сские ча́сто находи́лись в безвы́ходном положе́нии. **Таки́м о́бразом** на́до бы́ло боро́ться до конца́.
During the battle of Stalingrad the Russians were often in a desperate position. Thus it was necessary to fight to the finish.

В э́той кни́ге мы бу́дем **име́ть де́ло с** пробле́мами совреме́нного о́бщества.
In this book we will deal with problems of contemporary society.

Прави́тельство при́няло э́то реше́ние **ввиду́** тру́дного положе́ния в По́льше.
The government took this decision in view of the difficult situation in Poland.

В дальне́йшем сле́дует по́мнить, что когда́ мы говори́м об о́бществе, мы име́ем в виду́ сове́тское о́бщество.
It is necessary to remember in what follows that when we are speaking about society, we have Soviet society in mind.

В отли́чие от америка́нских профессоро́в, все сове́тские учёные хорошо́ зна́ют произведе́ния Ма́ркса и Ле́нина.
In distinction from American professors, all Soviet scholars know the works of Marx and Lenin well.

Грамма́тика (Grammar)

10-A. Impersonal Constructions

1. Note that in these common impersonal constructions the English subject appears in the dative in Russian.

★ Do not confuse with **в виду́**, which means *in view, in mind*. See Appendix B for masculine nouns with irregular locative in **-у́** and **-ю́**.

Dative Impersonal

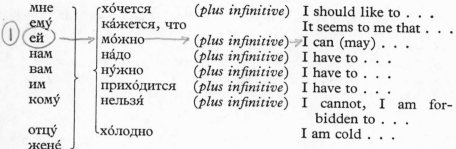

мне	хо́чется	(*plus infinitive*)	I should like to . . .
ему́	ка́жется, что		It seems to me that . . .
ей	мо́жно	(*plus infinitive*)	I can (may) . . .
нам	на́до	(*plus infinitive*)	I have to . . .
вам	ну́жно	(*plus infinitive*)	I have to . . .
им	прихо́дится	(*plus infinitive*)	I have to . . .
кому́	нельзя́	(*plus infinitive*)	I cannot, I am forbidden to . . .
отцу́ жене́	хо́лодно		I am cold . . .

Examples:

Нам хо́чется поговори́ть с ва́ми.

We should like to speak to you.

Мне ка́жется, что э́то ну́жно.

It seems to me that this is necessary.

Нам прихо́дится дока́зывать втору́ю тео́рию.

We have to prove the second theory.

Им нельзя́ произвести́ о́пыт сего́дня.

They cannot carry out the experiment today.

Past Dative Impersonal

In the past tense the verb is neuter.

мне	хоте́лось	I wanted to . . .
ему́	каза́лось, что	It seemed to me that . . .
ей	мо́жно бы́ло	I could . . .
нам	на́до бы́ло	I had to . . .
вам	ну́жно бы́ло	I had to . . .
им	приходи́лось	I had to . . .
кому́	нельзя́ бы́ло	I couldn't, I was forbidden to . . .
отцу́ жене́	бы́ло хо́лодно	I was cold

2. **Приходи́ться** and its perfective form **прийти́сь** are very often encountered in expository prose. The reader should learn to recognize the various possible forms of this construction.

В дальне́йшем **нам придётся** име́ть де́ло с други́ми теоре́мами.

Further we shall have to deal with other theorems.

Профе́ссору пришло́сь по́мнить соста́в ра́зных раство́ров.

The professor had to remember the composition of the various solutions.

10-B. Short, or Predicate, Form of Adjectives

This form is widely used in the predicate. It occurs only in the *nominative case.*

1. *Formation of the short form of adjectives.*

a. The short form is derived from the attributive form by removing -ый, -ий, or -ой from the masculine, -я from the feminine, -e from the neuter, and -e from the plural.

	LONG	SHORT
m. sing.	бе́л**ый**	бел
f. sing.	бе́ла**я**	бела́
n. sing.	бе́ло**е**	бе́ло́
m., f., n., pl.	бе́лы**е**	бе́лы́

b. In some masculine forms an -o- or -e- is inserted between the final two consonants:

LONG	SHORT	
тру́д**ный**	тру́д**ен**	(*f.* тру́дн**а**, *n.* -o, *pl.* -ы)
лёг**кий**	лёг**ок**	(*f.* легка́, *n.* -o, *pl.* -и)

2. Use of the short forms may be illustrated by the following examples:

Э́тот о́пыт о́чень тру́ден.	This experiment is very difficult.
Э́тот ме́тод лёгок.	This method is easy.
Э́тот журна́л интере́сен, а э́та кни́га не интере́сна.	This magazine is interesting, but this book is not interesting.

3. A very common construction involves the short form of the adjective **ну́жный** (*necessary*). The short forms are **ну́жен, нужна́, ну́жно, ну́жны́.**

Мне нужна́ чи́стая ко́лба.	I need a clean flask.
Нам ну́жен но́вый микроско́п.	We need a new microscope.
Иссле́дователю ну́жны́ бы́ли больши́е ко́лбы.	The researcher needed large flasks.

Note: The subject of the English sentence must be in the dative in this Russian construction. The number and gender of the thing needed determines the form of **ну́жный.**

10-C. Comparative Degree of Adjectives

1. The *attributive comparative* is formed by using the normal *attributive* form after **бо́лее** (*more*) or **ме́нее** (*less*). Only the attributive form is declined.

	ADJECTIVE	COMPARATIVE ADJECTIVE
m.	но́вый	бо́лее но́вый
f.	но́вая	бо́лее но́вая
n.	но́вое	бо́лее но́вое
m., f., n., pl.	но́вые	бо́лее но́вые

Специали́ст име́ет бо́лее но́вую лаборато́рию, чем до́ктор.	The specialist has a newer laboratory than the doctor.

2. Certain common adjectives have a special comparative form.

большо́й	big	бо́льший	bigger
ма́ленький	small	ме́ньший	smaller
хоро́ший	good	лу́чший	better
плохо́й	bad	ху́дший	worse

Он хо́чет жить **в ме́ньшем** го́роде.	He wants to live in a smaller town.
В э́тих о́пытах мы по́льзуемся **лу́чшими** мето́дами.	We use better methods in these experiments.

3. The *predicative comparative form* is the same for all numbers and genders. It is formed from the *adjective stem* plus **-ee** or **-ей**.

Матема́тика **трудне́е**, чем филосо́фия.	Mathematics is more difficult than philosophy.

4. Note some special forms for predicative comparatives.

ре́дкий	rare	ре́же	rarer
дорого́й	dear	доро́же	dearer, more expensive
молодо́й	young	моло́же	younger
бли́зкий	close	бли́же	closer
далёкий	distant	да́льше	farther
ста́рый	old	ста́рше	older
плохо́й	bad	ху́же	worse
высо́кий	high	вы́ше	higher
ни́зкий	low	ни́же	lower
лёгкий	light, easy	ле́гче	lighter, easier
хоро́ший	good	лу́чше	better

Муж **ста́рше**, чем жена́.	The husband is older than his wife.
Ра́дий **доро́же**, чем ка́лий.	Radium is more dear than potassium.

5. **Не́жели** may be used instead of **чем**.

Стол вы́ше, **чем** пол.	The table is higher *than* the floor.
Стол вы́ше, **не́жели** пол.	

6. In sentences containing comparison, *than* may be translated by **чем** or **не́жели** or by the *use of the genitive case alone*.★

Он моло́же, **чем жена́**.	He is younger *than his wife*.
Он моло́же жены.	
Ра́дий **ре́же** ка́лия.	Radium is rarer *than potassium*.

10-D. Comparative Degree of Adverbs

1. The *comparative adverb* is formed in the *same* way as the *predicative comparative adjective*; thus, the two forms coincide.

Он рабо́тает **ме́дленнее**, чем я.	He works more slowly than I.
Мы э́то сде́лали **лу́чше**, чем они́.	We did this better than they.

2. Some adverbs in **-o** may make comparatives using **бо́лее**.

Он пи́шет **бо́лее инте-ре́сно**, чем она́.	He writes more interestingly than she does.

10-E. Весь, вся, всё, все: *all, the whole*

1. These are declined as follows:

	SINGULAR			PLURAL
Case	*m.*	*f.*	*n.*	*all genders*
nom.	весь	вся	всё	все (declined like те)
gen.	всего́	всей	всего́	всех
dat.	всему́	всей	всему́	всем
acc.	весь *or* всего́	всю (!)	всё	все *or* всех
instr.	всем (!)	всей	всем (!)	все́ми
prep.	о всём	о всей	о всём	о всех

★ **Чем** (**не́жели**) must be used (*a*) following the attributive comparative (*b*) if the things compared are not nouns or pronouns (*c*) when ambiguity would otherwise result.

Поло́жим, что нельзя́ вос-по́льзоваться **всем** раство́-ром.	Let us suppose that it is impossible to use all the solution.
А́втор хоте́л ви́деть **всю** траге́дию.	The author wanted to see the whole tragedy.

2. Note some *accusative* expressions of time involving **весь**.

весь день	all day	всю неде́лю	all week
всё у́тро	all morning	весь ме́сяц	all month
весь ве́чер	all evening	весь год	all year
всю ночь	all night		

3. Note that the plural form **все** means *everybody*, which in English is followed by the verb in the third person *singular*. In Russian it is followed by the verb in the third person *plural*.

Все его́ **зна́ют.**	*Everybody knows* him.
Все хотя́т стать знамени́-тыми.	*Everyone wants* to become famous.

10-F. Possessive Pronouns and Adjectives

1. **Мой, моя́, моё, мой**: *my, mine.*

	SINGULAR			PLURAL
Case	*m.*	*f.*	*n.*	*all genders*
nom.	мой	моя́	моё	мои́
gen.	моего́	мое́й	моего́	мои́х
dat.	моему́	мое́й	моему́	мои́м
acc.	мой *or* моего́	мою́	моё	мои́ *or* мои́х
instr.	мои́м	мое́й (мое́ю)	мои́м	мои́ми
prep.	моём	мое́й	моём	мои́х

Я не ве́рю результа́там **моего́** о́пыта.	I don't trust the results *of my* experiment.

Note the predicative use of **мой**, etc.

Э́та бе́лая кни́га — **моя́.**	This white book *is mine.*
Все э́ти тео́рии — **мои́.**	All these theories *are mine.*

2. **Твой, твоя́, твоё, твой**: *thy, thine.* These are declined like **мой** and are used similarly.

3. **Его́**, *his, its;* **её**, *her;* **их**, *their,* are *indeclinable and invariable.*

Его́ рабо́та совсе́м не инте-ре́сна.	*His* work is not at all interesting.

Нам не нужны́ **его́** тео́рии.	We don't need *his* theories.
Я ничего́ не знал о **её** о́пытах.	I knew nothing about *her* experiments.
Мы берём **их** места́.	We are taking *their* places.

4. **Наш, на́ша, на́ше, на́ши**: *our, ours*, and **ваш, ва́ша, ва́ше, ва́ши**: *your, yours*, are declined as are **мой** and **твой**.

	SINGULAR			PLURAL
Case	*m.*	*f.*	*n.*	*all genders*
nom.	наш	на́ша	на́ше	на́ши
gen.	на́шего	на́шей	на́шего	на́ших
dat.	на́шему	на́шей	на́шему	на́шим
acc.	наш *or* на́шего	на́шу	на́ше	на́ши *or* на́ших
instr.	на́шим	на́шей	на́шим	на́шими
prep.	на́шем	на́шей	на́шем	на́ших

5. **Свой, своя́, своё, свои́**: *my, thy, his, her, its, our, your, their, one's own*. These are declined like **мой**. A form of **свой** may be used in place of *any* of the other possessives *when it refers to the subject of the clause:*

Я нашёл **мой** микроско́п. Я нашёл **свой** микроско́п.	I found *my* microscope.

Note, however, that for the third person, **свой** or one of its forms *must* be used if the thing possessed belongs to the *subject* of the sentence or the clause.

Он говори́т о **своём** отце́.	He is speaking about *his (own)* father.
Он говори́т о **его́** отце́.	He is speaking about *his* father (i.e., about the father of someone else).

Note the difference:

Они́ пи́шут кни́гу **о своём** о́пыте.	They are writing a book *about their* (**own**) experiment.
Они́ пи́шут кни́гу **об их** о́пыте.	They are writing a book *about their* (**others'**) experiment.

In the following example, however, **его́** may be employed, because **а́втор**, being in the dative case, is *not* the subject of the Russian sentence.

А́втору ча́сто прихо́дится говори́ть **о его́** кни́гах.	An author often has to speak *about his* books.

10-G. У + Genitive, for Possession

1. This construction is often used to indicate possession. (In spoken Russian it is much more common than constructions with **иметь**.)

У до́ктора но́вая лаборато́рия.	*The doctor has* a new laboratory (*lit. by the doctor* is a new lab).
У меня́ но́вое изда́ние кни́ги.	*I have* a new edition of the book.

2. Since the thing possessed in the English sentence is the *subject* of the verb *to be* in the Russian sentence, the *past* and the *future* verb forms must agree with this subject.

У до́ктора **была́ но́вая лаборато́рия.**	The doctor *had a new laboratory*.
У до́ктора **бу́дет но́вая лаборато́рия.**	The doctor *will have a new laboratory*.
У студе́нта **бы́ли но́вые кни́ги.**	The student *had* new books.
У студе́нта **бу́дут но́вые кни́ги.**	The student *will have* new books.

In the present tense the verb **есть** (*to be*) is often omitted, but appears in questions and in statements when the fact of possession is stressed.

У **вас есть** но́вое изда́ние э́той кни́ги?	*Do you have* a new edition of this book?
У **них** уже́ **есть** микроско́п.	*They* already *have* a microscope.

3. In the negative **у** *plus genitive* follows the rules that govern the use of **нет**. (Refer to ¶ **7-E**.)

У него́ **нет** друго́й ко́лбы.	He doesn't have another flask.
У специали́ста **не́ было** но́вого микроско́па.	The specialist didn't have a new microscope.
У неё **не бу́дет** ста́рых книг.	She won't have (any) old books.

10-H. У + Genitive, Meaning other than Possession

The reader will often encounter constructions involving **у** plus *genitive* which do not imply possession.

1. The preposition **y** may mean:

a. next to, near, at, by,

Стол стои́т **у две́ри**.	The table is standing *at the door*.

b. This construction has acquired the same meaning as the French *chez: at the house of, among, in the country of, in*:

Вы бу́дете **у нас** сего́дня ве́чером?	Will you be *at our house* this evening?
Он живёт **у меня́**.	He lives *at my house*.
В за́падных стра́нах траге́дия име́ет ино́й смысл, чем **у нас**.	Tragedy in western countries has a different meaning than *in our country*.
Драмати́ческий элеме́нт **у Го́голя** о́чень ва́жен.	The dramatic element *in Gogol* (meaning *in Gogol's works*) is very important.

10-I. Use of и for Emphasis

1. In addition to its usual meaning of *and*, **и** may be used for emphasis. In such cases it may be translated as *even* or *too*, or may not be translated at all.

Она́ **и** э́того не зна́ет!	She doesn't know (*even*) that!

Текст (Text)

Read and translate.

Траге́дия (гр. *tragoidia*) — оди́н из ви́дов драмати́ческих произведе́ний. В ней хара́ктер геро́я раскрыва́ется в безвы́ходном положе́нии, в нера́вной борьбе́. Траге́дия — оди́н из дре́вних ви́дов дра́мы. Она́ возни́кла в дре́вней Гре́ции и назва́ние своё получи́ла от наро́дного представле́ния во вре́мя пра́зднеств[1] в честь[2] бо́га Диони́са. В же́ртву[3] ему́ приноси́ли козла́[4] (козёл по-гре́чески tragos). Траге́дия утра́тила свой первонача́льный хара́ктер и впосле́дствии ста́ла самостоя́тельным ви́дом театра́льного зре́лища.[5]

Траге́дия в сове́тской литерату́ре, в отли́чие от дре́вних

[1] **пра́зднество** festival
[2] **в честь** in honor of
[3] **же́ртва** sacrifice
[4] **козёл** goat
[5] **зре́лище** spectacle, show

this should be genitive case — thus it is masculine. right?

трагéдий, имéет совсéм инóй, жизнеутверждáющий[6] смысл: герóй такóй трагéдии бóрется не за сво
ю лúчную судьбý, а за óбщее нарóдное дéло и, éсли это нýжно, сознáтельно отдаёт свою
 жизнь во úмя[7] егó побéды. Гúбель[8] герóя, такúм óбразом, превращáется в егó духóвное[9] торжествó.[10]

— *Short Dictionary of Literary Terms* (Moscow, 1952)

Упражнéния (Exercises)

A. *Dictionary practice*

1. Áтомы крáйне малы́. Их нельзя́ увúдеть дáже в сáмый сúльный* микроскóп. На лúнии в 1 сантимéтр помещáется 100 миллиóнов áтомов. Вес áтома ничтóжно мал. Напримéр, вес áтома водорóда рáвен 0,000 000 000 000 000 000 000 001 7 грáмма.

Áтомы разлúчных элемéнтов отличáются друг от дрýга. Напримéр, áтомы желéза примéрно в 56 раз, а áтомы свинцá в 207 раз тяжелée áтомов водорóда. В результáте неодинáкового строéния разные áтомы обладáют† разлúчными свóйствами. Поэтому понятно, что и веществá, пострóенные‡ из рáзных áтомов, отличáются по свóйствам друг от дрýга.

2. **Фотографúческие наблюдéния искýсственных спýтников.** Бóлее тóчные и надéжные дáнные получáются при фотографúческих наблюдéниях спýтников. Крóме тогó, фотографúческие наблюдéния дáже лéгче провестú, чем визуáльные. К сожалéнию, онú возмóжны далекó не всегдá, так как фотографúровать мóжно тóлько яркие спýтники (такúе, как вторóй úли трéтий совéтские спýтники) на достáточно тёмном фóне нéба.

B. Substitute one of the indicated *predicative comparatives* into the blank and translate.

рéже, лéгче, дорóже, стáрше, блúже, вы́ше, дáльше

1. Нью Йóрк _____, чем Ленингрáд. 2. Рáдий _____ кáлия. 3. Пéрвый урóк _____, чем девятый. 4. Стол _____, чем пол. 5. Нóвый самолёт _____, чем стáрый автомобúль. 6. Пóльша

[6] **жизнеутверждáющий** life-affirming
[7] **во úмя** in the name (of)
[8] **гúбель** downfall
[9] **духóвный** spiritual
[10] **торжествó** triumph
* **сáмый сúльный** most powerful.
† **обладáть** takes the instrumental. See Appendix F, c.
‡ **пострóенные** constructed.

_____, чем СССР. 7. Звёзды _____, нéжели мéсяц. 8. Москвá _____ от Нью Йóрка, чем Парѝж.

C. Put the words in parentheses into the correct form and translate.

1. Этот раствóр состоѝт из (нáтрий и водá). 2. Зимóй (я) чáсто хóлодно. 3. (Мы) слéдует найтѝ решéние (уравнéние). 4. В дальнéйшем мы бýдем имéть дéло со (все эти смéси). 5. Студéнт стал (знаменѝтый фѝзик). 6. Этот микроскóп принадлежѝт не (вы), а (я). 7. Нет (лёгкое решéние) этой проблéме. 8. Молодьíе студéнтки не лю́бят (францýзские ромáны). 9. Муж был под (влия́ние) женьí, а женá былá под влия́нием Бог знáет (что). 10. У (извéстные исслéдователи) хорóшая лаборатóрия. 11. (Все профессорá) нýжно читáть послéдние извéстия. 12. Он не имéет (влия́ние) на решéние (дирéктор). 13. (Мы) казáлось, что решéние (пéрвая проблéма) лéгче (решéние) вторóй. 14. Мне пришлóсь прочитáть все (его ромáны) для тогó, чтóбы поня́ть его (теóрия) (óбщество). 15. Нáтрий вхóдит в (состáв) сóли. 16. Он говорѝл о двух (вид) стеклá.

D. Find the group of words in column *b* which makes a correct sentence when added to each group of words in column *a*, and translate.

a	*b*
1. Вы читáли все	7. возникла трагéдия?
2. Эта книга опѝсывает	8. знаменѝтой актрѝсой.
3. «Гáмлет» — однó из	9. знаменѝтой актрѝсе.
4. В какóй странé	10. произведéния Шекспѝра.
5. Автор напѝшет книгу о	11. нерáвную борьбý мéжду СССР и Финля́ндией.
6. Впослéдствии онá стáла	12. произведéний Шекспѝра.

ELEVENTH LESSON

Словарь (Vocabulary)

власть (f.)	power, authority	подлинный	real, authentic
война́	war	провозгла-ше́ние	proclamation
глава́	head, chapter		
граждани́н	citizen	разли́чие	distinction, difference
действи́тельный	real		
зако́н	law	разли́чный	various
исчеза́ть (исче́знуть)	to disappear	свобо́да	freedom, liberty
		ско́лько	how much, how many
кото́рый	which, who		
лицо́	person, face	строй	order, regime
ма́ло	little, few	существова́ть	to exist
мо́щный	mighty	так	so, so much, thus
не́сколько	several, some	то́лько	only
обеспе́чивать (обеспе́чить)	to secure, to guarantee	устраня́ть (устрани́ть)	to eliminate, to remove
определе́ние	definition	уча́стие	participation
осуществля́ться (осуществи́ться) to be achieved, to be realized			

Associated Words

большинство́	majority	представи́тель-ный	representative (adj.)
возмо́жный	possible		
впервы́е	(adv.) for the first time	прикрыва́ть (прикры́ть)	to cover, to screen
вы́вод	conclusion, deduction	рабо́чий	working adj.; worker (noun)
госуда́рствен-ный	state (adj.)	равнопра́вие	equality
еди́нственный	sole, only	руково́дство	direction
еди́нство	unity	соотве́тство-вать	to correspond

87

еди́ный	sole, one	труди́ться	to toil, to work
могу́щество	power, might	(потруди́ться)	
наро́д	people, nation	управле́ние	administration
незави́симый	independent	челове́чество	mankind
прави́тельство	government		

Loan Words

а́втор	author	конститу́ция	constitution
акти́вный	active	ма́сса	mass
буржуази́я	bourgeoisie	мора́льный	moral
буржуа́зный	bourgeois	на́ция	nation
газе́та	newspaper	парла́мент	parliament
демократи́-	democratic	па́ртия	party
ческий		полити́ческий	political
демокра́тия	democracy	ра́са	race
депута́т	deputy	социали́зм	socialism
диктату́ра	dictatorship	социалисти́-	socialistic
империалисти́-	imperialistic	ческий	
ческий		фаши́стский	fascistic
капитали́ст	capitalist	экономи́-	economic
капиталисти́-	capitalistic	ческий	
ческий			

Expressions for Memorization

на де́ле	in actual practice, in actual fact, actually
принима́ть уча́стие в (+ prep.)	to take part in, to participate in
по слова́м	according to
речь идёт о (+ prep.)	the question concerns
уже́ не	no longer
ещё не	not yet

На де́ле наро́д не **принима́ет уча́стия** в управле́нии страно́й.
Actually the people does not participate in administering the country.

По слова́м студе́нтов, э́то о́чень тру́дный уро́к.
According to the students, it is a very difficult lesson.

Здесь **речь идёт** не **о** демокра́тии, а **о** социали́зме.
Here the question does not concern democracy but socialism.

Он **уже́ не** рабо́тает в э́той лаборато́рии.
He no longer works in this laboratory.

Вы **ещё не** объясни́ли э́того аппара́та.
You have not yet explained this apparatus.

Грамма́тика (Grammar)

11-A. The Relative Pronoun "кото́рый": *which, who*

1. **Кото́рый** is declined as an adjective.

Case	SINGULAR m.	f.	n.	PLURAL all genders
nom.	кото́рый	кото́рая	кото́рое	кото́рые
gen.	кото́рого	кото́рой	кото́рого	кото́рых
dat.	кото́рому	кото́рой	кото́рому	кото́рым
acc.	кото́рый (-ого)	кото́рую	кото́рое	кото́рые (-ых)
instr.	кото́рым	кото́рой	кото́рым	кото́рыми
prep.	кото́ром	кото́рой	кото́ром	кото́рых

2. Its *number* and *gender* must agree with the antecedent to which it refers; its *case* is determined by its role in the relative clause.

— is this the feminine singular accu. ?

Никто́ не понима́л траге́дии, кото́рую он написа́л в э́том году́.

No one understood the tragedy, which he wrote this year.

Here the relative pronoun is feminine singular, because its antecedent is **траге́дия**; it is in the accusative case because it is the direct object of the verb **написа́ть**.
Study the following examples:

Элеме́нт, **кото́рый** откры́л Кюри́, называ́ется ра́дий.

The element, which Curie discovered, is called radium.

Пробле́ма, **к кото́рой** э́тот вопро́с отно́сится, не трудна́.

The problem, to which this question relates, is not difficult.

Би́тва, **о кото́рой** мы говори́ли, име́ла ме́сто под Ленингра́дом.

The battle, about which we were speaking, took place near Leningrad.

Профе́ссор, **кото́рому** все студе́нты ве́рят, — ре́дкое явле́ние.

The professor whom all students believe is a rare phenomenon.

Note the use of **кото́рый** as an *interrogative adjective* in the following expressions:

Кото́рый тепе́рь час?

What time is it?

В кото́ром часу́ закрыва́ют лаборато́рию?

At what time do they close the laboratory?

11-B. The Present Active Participle

1. This *verbal adjective* is formed by dropping the **-т** from the third person plural of the present tense* and adding **-щий** for the masculine, **-щая** for the feminine, **-щее** for the neuter, and **-щие** for the plural.

INFINITIVE	THIRD PERSON PLURAL	STEM	PRESENT ACTIVE PARTICIPLE (*m.*)
возника́ть	возника́ют	возника́ю-	возника́ю**щий**
говори́ть	говоря́т	говоря́-	говоря́**щий**
лежа́ть	лежа́т	лежа́-	лежа́**щий**
де́лать	де́лают	де́лаю-	де́лаю**щий**
обознача́ть	обознача́ют	обознача́ю-	обознача́ю**щий**
существова́ть	существу́ют	существу́ю-	существу́ю**щий**

2. *Reflexive verbs* form the present active participle in exactly the same way, except that **-ся** is suffixed. The **-ся** suffix is unchangeable, for all forms and cases.

INFINITIVE	THIRD PERSON PLURAL	STEM	PRESENT PARTICIPLE
превраща́ться	превраща́ются	превраща́ю-	превраща́ю**щийся**
встреча́ться	встреча́ются	встреча́ю-	встреча́ю**щийся**

3. *Use of the present active participle.* This form often appears in written Russian. Its function is similar to that of **кото́рый** in relative clauses where **кото́рый** is the subject. Present active participles, since they are adjectives in form, must agree in *number*, *gender*, and *case* with their antecedents.

Здесь нет студе́нтов, **говоря́щих** по-ру́сски.	There are no students here *who speak* Russian.

In this example the present active participle is *genitive plural* in order to agree with **студе́нтов**, which is also in the *genitive plural*.

Он критикова́л оши́бку, **встреча́ющуюся** в кни́гах молодо́го писа́теля.	He criticized the error *encountered* in the books of the young writer.

In this example the participial form must be feminine accusative singular in order to agree with **оши́бку**.

* Since only imperfective verbs can be in the present tense, the present active participle can be derived from imperfective verbs only.

The reader should be prepared to expect examples of the use of this participle also in clauses which *precede* the word modified.

Встреча́ющиеся в други́х кни́гах по э́тому вопро́су вы́воды не соотве́тствуют вы́водам э́того а́втора.	The conclusions *encountered* in other books on this question do not correspond to the conclusions of this author.

11-C. The Superlative Degree of Adjectives and Adverbs

1. The *superlative degree of attributive adjectives* is formed by placing the word **са́мый** (*the most*) before the adjective. As **са́мый** is itself an adjective, it must also agree in *number*, *gender*, and *case* with the *noun* modified.

ADJECTIVE	SUPERLATIVE FORM
интере́сный	са́мый интере́сный
изве́стный	са́мый изве́стный
высо́кий	са́мый высо́кий

Э́ти хи́мики рабо́тают **в са́мом изве́стном институ́те** страны́.	These chemists work in the country's most famous institute.
Две его́ после́дние кни́ги **са́мые интере́сные**.	His last two books are the most interesting.

2. The reader will also encounter *simple superlatives*, which are formed by adding the suffix **-ейший** to the regular adjectival stem. When **г**, **к**, and **х** are the final consonants of the stem, they change to **ж**, **ч**, **ш** and **-айший** is added.

ADJECTIVE	SIMPLE SUPERLATIVE
но́вый	нове́йший
интере́сный	интере́снейший
высо́кий	высоча́йший

Superlatives formed in this manner *do not* necessarily imply comparison; superlatives formed with **са́мый** *do* imply comparison.

Сего́дня мы получи́ли **интере́снейшее** письмо́.	Today we received *a most interesting* letter.

3. There is also a *predicate superlative*, which consists of the *predicate form of the comparative* adjective followed immediately by **всего́**:

Э́та фо́рмула **сложне́е всего́**.	This formula is the most complicated.

4. The *superlative adverb* is formed by placing **всего** after the *comparative adverb*:

Он это делает **лучше всего**.   He does this *best*.

Note: **прежде всего** means *first of all, above all*.

Прежде всего нам надо принимать активное участие в борьбе за демократию. | *First of all* we must take an active part in the struggle for democracy.

11-D. Pronouns, Adjectives, and Adverbs of Quantity

1. **Много** much, many
   Немного (немножко) a few, some
   Мало little, few
   Сколько how much, how many, as much, as far as
   Несколько some, a few, several

In English there is a big difference between "a few" & "several"

a. When these are used as pronouns of quantity, dependent nouns must be in the genitive.

Он знает **много** русских слов. | He knows *many* Russian words.

Она выпила **немного** воды. | She drank *some* water.

В этой книге **мало** уравнений. | There are *few* equations in this book.

Сколько у вас книг в библиотеке? | *How many* books do you have in your library?

Молодой физик сделал **несколько** ошибок. | The young physicist made *several* errors.

b. Used adverbially:

Как она **мало** жила! Как она **много** любила! | How *little* she lived! How *much* she loved!

Сколько я знаю, он уезжает завтра. | *As far as* I know, he will leave tomorrow.

2. **Многий**

a. The neuter form **многое** (which is declinable) is used as a noun meaning ''much.''

Во **многом** моё положение трудно. | In *many ways* my position is difficult.

b. The *plural* form **мно́гие** (which is declinable) is used as a *noun* meaning ''many people'' and as an *adjective* meaning ''many.''

Я здесь зна́ю **мно́гих**.	I know *many* (people) here.
Мно́гие так ду́мают.	*Many* think so.
У **мно́гих** на́ших профес-со́ров но́вые автомоби́ли.	*Many* of our professors have new automobiles.

3. Немно́гий

a. The *plural* form **немно́гие** (which is declinable) is used as a *noun* meaning ''few people'' and as an *adjective* meaning ''few.''

То́лько у **немно́гих** ли́чная свобо́да.	Only a few (people) have personal freedom.
Он произвёл **немно́гие** ва́жные о́пыты.	He conducted few important experiments.

4. Ма́лый

a. In both the singular and plural **ма́лый** (which is declinable) is used as a *noun* meaning ''lad'' or ''young fellow'' and as an *adjective* meaning ''small.'' *Short forms* of the adjective are common.

Оне́гин был, по мне́нью мно́гих, учёный **ма́лый**, но педа́нт.	Onegin was, in the opinion of many, a learned lad, but a pedant.
Пальто́ **мало́**.	The coat is small.

5. Не́скольких, не́скольким . . .

a. Used as an *adjective* meaning ''several,'' ''a few.'' The nominative plural form is not used.

Он рассказа́л о би́тве **в не́скольких** слова́х.	He told about the battle in a few words.

Текст (Text)

Read and translate.

ДЕМОКРА́ТИЯ (Сове́тское определе́ние)

Демокра́тия — полити́ческий строй, при кото́ром власть принадлежи́т наро́ду. По́длинная демокра́тия возмо́жна то́лько в сове́тском социалисти́ческом госуда́рстве. Демокра́тия сове́т-ская, социалисти́ческая — действи́тельная демокра́тия. Вся госуда́рственная власть в СССР принадлежи́т трудя́щимся

(3) Why this word order

го́рода и дере́вни в лице́ Сове́тов депута́тов трудя́щихся. Ста́линская[1] Конститу́ция явля́ется еди́нственной в ми́ре по́длинно демократи́ческой Конститу́цией. В СССР впервы́е в исто́рии челове́чества на де́ле осуществля́ется равнопра́вие всех трудя́щихся незави́симо от по́ла, на́ции, ра́сы. Права́ гра́ждан[2] и полити́ческие свобо́ды при сове́тской, социалисти́ческой демокра́тии обеспе́чиваются экономи́ческим могу́ществом страны́ социали́зма, мо́щным аппара́том социалисти́ческого госуда́рства, мора́льно-полити́ческим еди́нством сове́тского наро́да под руково́дством рабо́чего кла́сса во главе́ с[3] коммунисти́ческой па́ртией. Трудя́щиеся ма́ссы го́рода и дере́вни принима́ют акти́вное уча́стие в управле́нии Сове́тским госуда́рством. Наро́д и прави́тельство в СССР еди́ны.

Демокра́тия в буржуа́зных стра́нах:

Демокра́тия буржуа́зная явля́ется диктату́рой буржуази́и. В буржуа́зных стра́нах капитали́сты прикрыва́ют свою́ власть над большинство́м трудя́щихся лицеме́рным[4] провозглаше́нием разли́чных свобо́д и полити́ческих прав. На де́ле э́ти свобо́ды и права́ для трудя́щихся не существу́ют. При буржуа́зной демокра́тии существу́ют представи́тельные о́рганы и парла́менты, но большинство́ наро́да устраня́ется капиталисти́ческими зако́нами от уча́стия в полити́ческой жи́зни. Все и́ли почти́ все газе́ты и журна́лы принадлежа́т капитали́стам. . . . С нача́лом второ́й империалисти́ческой войны́ исчеза́ет разли́чие ме́жду буржуа́зно–демократи́ческими и фаши́стскими госуда́рствами.

— Adapted from Полити́ческий слова́рь*

Упражне́ния (Exercises)

A. *Dictionary practice*

Со́лнце — исто́чник движе́ния и всей жи́зни на Земле́. Но почему́ све́тит само́ Со́лнце? Како́в исто́чник эне́ргии Со́лнца и бессчётного коли́чества звёзд, населя́ющих вселе́нную?

Среди́ э́тих звёзд Со́лнце совсе́м не представля́ется выдаю́щейся звездо́й. В ми́ре звёзд э́то — ка́рлик, «жёлтый ка́рлик», как его́ называ́ют астроно́мы. Диа́метр Со́лнца составля́ет «всего́» 1.391.000 киломе́тров. Вот не́которые приме́ры для

---

[1] ста́линский (*adj*. formed from ''Stalin'')

[2] гра́ждан (*gen. pl.* of гражда́ни́н)

[3] во главе́ с headed by

[4] лицеме́рный hypocritical

* Edited by G. Aleksandrov *et al.* (Moscow, 1940), p. 166.

сравне́ния. Диа́метр кра́сного сверх-гига́нта звезды́ «а́льфа» в созве́здии Геркуле́са превыша́ет диа́метр Со́лнца в 800 раз, составля́я* 1,1 миллиа́рда киломе́тров.

Т́очно та́кже изве́стно мно́жество звёзд, свети́мость кото́рых в деся́тки ты́сяч раз превыша́ет свети́мость Со́лнца. Са́мой я́ркой из изве́стных явля́ется звезда́ в созве́здии Золото́й Ры́бы, свети́мость кото́рой превыша́ет со́лнечную в 500.000 раз!

Расчёт приво́дит к изуми́тельным чи́слам. Со́лнце в секу́нду отдаёт 4 миллио́на тонн световы́х луче́й. Э́то число́ позво́лит сра́зу же определи́ть мо́щность Со́лнца. 4 . 10^6 тонн составля́ют 4 . 10^{12} гра́ммов. А ка́ждый грамм — э́то 25 . 10^6 кило-ва́тт-часо́в. Сле́довательно, мо́щность Со́лнца равна́

4 . 10^{12} x 25 . 10^6 = 10^{20} килова́тт-часа́м в секу́нду.

Сто миллиа́рдов миллиа́рдов килова́тт-часо́в в секу́нду!

Чтобы оцени́ть грандио́зность э́того числа́, вспо́мним, что Ку́йбышевская ГЭС — крупне́йшая в ми́ре — бу́дет выраба́тывать 10 миллиа́рдов килова́тт-часо́в в год. Сле́довательно, Ку́йбышевская ГЭС смогла́ бы† вы́работать сто́лько эне́ргии, ско́лько Со́лнце отдаёт в секу́нду, лишь за 10 миллиа́рдов лет!

B. Replace the words in parentheses with the correct form of the *present active participle* and translate each sentence.

1. Кто написа́л рома́н, (кото́рый) так (тро́гает) америка́нских чита́телей? 2. Андре́й, (кото́рый умира́л) на по́ле би́твы, не мог говори́ть о жене́, (кото́рая) так (лю́бит) его́. 3. Скажи́те мне, кто э́тот челове́к, (кото́рый) всегда́ (но́сит) си́ний костю́м? 4. Здесь мно́го люде́й,‡ (кото́рые) не (ве́рят) э́тому сообще́нию. 5. Сове́тские фи́зики говоря́т с америка́нскими учёными, (кото́рые) понима́ют) по-ру́сски. 6. В ко́лбе, (кото́рая стои́т) пе́ред профе́ссором, нахо́дится бе́лый раство́р. 7. Исто́рик не говори́т о чита́телях, (кото́рые критику́ют) его́ тео́рии.

C. Replace the participles in parentheses with the corresponding forms of **кото́рый** plus *verb* and translate each sentence.

1. Кто пи́шет э́ти рома́ны, так (тро́гающие) америка́нских чита́телей? 2. Рабо́та, (осуществля́ющаяся) при институ́те в э́том году́, о́чень важна́. 3. Кто э́ти студе́нты, всегда́ (нося́щие) си́ний костю́м? 4. Здесь то́лько оди́н челове́к, не (ве́рящий) э́тому сообще́нию. 5. Сове́тские фи́зики говоря́т с америка́нским учёным, (понима́ющим) по-ру́сски. 6. Они́ бегу́т от бо́мбы, (лежа́щей) под столо́м. 7. В ко́лбах, (стоя́щих) пе́ред

---

* **составля́я** composing (from **составля́ть** to compose).
† **смогла́ бы** would be able to.
‡ **люде́й** (*gen. pl.* of **лю́ди** people).

профéссором, находи́лись бéлые растворы. 8. Истóрики не говори́ли о чита́теле, (критику́ющем) их теóрии.

D. Put correct endings on the words in parentheses and translate each sentence.

1. Этот учёный хорошó объясня́ет (са́мая слóжная математи́ческая теóрия). 2. Тепéрь профéссор пóльзуется (са́мые интерéсные кни́ги). 3. По слова́м (са́мые у́мные студéнты), мéжду (эти две теóрии) больша́я ра́зница. 4. Её отéц — дóктор. Он рабóтает в (са́мый лу́чший гóспита́ль) в Москвé. 5. Мы стоя́ли пéред (са́мое большóе зда́ние) в гóроде. 6. Он написа́л кни́гу о (са́мая ва́жная би́тва) в истóрии на́шей страны́. 7. Эти учёные со скептици́змом отнóсятся к (са́мые полéзные óпыты). 8. Мы éхали по (са́мые ста́рые у́лицы) Пари́жа. 9. Скóлько (ру́сский урóк) мы ужé чита́ли? 10. Инженéр зна́ет нéсколько (нóвый мéтод). 11. В этом урóке мнóго (совремéнное слóво). 12. Мнóго (знамени́тый писа́тель) в Амéрике?

TWELFTH LESSON

Слова́рь (Vocabulary)

адвока́т	lawyer	рабовладе́лец	slave-owner
выдаю́щийся	prominent	ра́бство	slavery
де́ятель (*m.*)	worker	рожда́ться	to be born
до́лжный	obliged, indebted	(роди́ться)	
доставля́ть	to give, to provide	слу́жащий	employee
(доста́вить)		служи́ть	to serve
занима́ть(ся)	to occupy (oneself)	(послужи́ть)	
[*pf.* заня́ть(ся)]		собы́тие	event
захва́тывать	to seize	сопротивле́ние	resistance
(захвати́ть)		сторо́нник	partisan, supporter
лю́ди (*gen. pl.*	people	США	U.S.A.
люде́й)		сюда́	here (hither)
мяте́ж	rebellion	ука́зывать	to indicate, to
мяте́жник	rebel	(указа́ть)	show
о́ба *m. & n.,*	both	широ́кий	wide, broad
о́бе (*f.*)		ю́жный	southern, south
раб	slave		(*adj.*)

Associated Words

внима́тельный	attentive	освобожде́ние	emancipation
гражда́нский	civil	откры́тый	open
зате́м	subsequently, then	прави́тель-	governmental,
избра́ние	election	ственный	government
изве́стность (*f.*)	fame		(*adj.*)
начина́ть(ся)	to begin	следи́ть	to pursue
[*pf.* нача́ть(ся)]		(проследи́ть)	
ненави́деть	to hate	труд	labor, work
(возненави́деть)			

97

Loan Words

апре́ль (*m.*)	April	республика́н-	Republican
исто́рик	historian	ский	
кандида́т	candidate	сигна́л	signal
негр	Negro	социа́льный	social
пози́ция	position	форт	fort
почто́вый	postal	штат	state
пра́ктика	practice	юриди́ческий	juridical
президе́нт	president		

Expressions for Memorization

несмотря́ на (+ *acc.*)	in spite of, despite
следи́ть за (+ *instr.*)	to follow, to keep track of, to watch
как . . . так и . . .	both . . . and . . .
т.е. (то есть)	i.e., (that is)
гла́вным о́бразом	chiefly
за счёт (+ *gen.*)	at the expense of

Несмотря́ на созда́ние но́вой акаде́мии нау́к, иссле́довательская рабо́та шла о́чень пло́хо.
Despite the creation of a new academy of sciences, research work progressed (*lit.* went) very poorly.

Хоро́ший профе́ссор **следи́т за** рабо́той всех студе́нтов.
A good professor keeps track of all (his) students' work.

Линко́льн игра́л большу́ю роль **как** в полити́ческой, **так и** в экономи́ческой жи́зни на́шей страны́.
Lincoln played a large role both in the political and the economic life of our country.

Мно́го ва́жных собы́тий име́ло ме́сто при Линко́льне; наприме́р, освобожде́ние рабо́в, **т.е.** не́гров.
Many important events took place in Lincoln's time: for example, the emancipation of the slaves i.e., the Negroes.

Война́ ме́жду шта́тами шла **гла́вным о́бразом за счёт** америка́нского наро́да.
The war between the states went on chiefly at the expense of the American people.

Грамма́тика (Grammar)

12-A. The Past Active Participle

1. This *verbal adjective* is formed by dropping the -л from the masculine past tense of an imperfective or perfective verb and adding **-вший** for the masculine, **-вшая** for the feminine, **-вшее** for the neuter, and **-вшие** for the plural.

PAST ACTIVE PARTICIPLE - (вший)

INFINITIVE	MASCULINE PAST	STEM	PAST ACTIVE PARTICIPLE (*m.*)
написа́ть	написа́л	написа-	написа́**вший**
указа́ть	указа́л	указа-	указа́**вший**
жить	жил	жи-	жи́**вший**

2. *Reflexive verbs* form the past active participle in exactly the same way, except that **-ся** is suffixed. The **-ся** suffix is unchangeable, for all forms and cases.

INFINITIVE	MASCULINE PAST	STEM	PAST ACTIVE PARTICIPLE (*m.*)
находи́ться	находи́лся	находи-	находи́**вшийся**

3. Those verbs which lose the **-л** ending in the masculine past simply take **-ший**, **-шая**, **-шее** and **-шие** to form the past active participle.

INFINITIVE	MASCULINE PAST	PAST ACTIVE PARTICIPLE (*m*).	MEANING
возни́кнуть	возни́к	возни́к**ший**	having arisen
вы́сохнуть	вы́сох	вы́сох**ший**	having dried up
умере́ть	у́мер	уме́р**ший**	having died

Note the past active participles of the following common verbs:

INFINITIVE	PAST ACTIVE PARTICIPLE (*m.*)	MEANING
вести́	ве́д**ший**	having led
идти́	ше́д**ший**	having gone

4. *Use of the past active participle.* The function of this form is similar to that of **кото́рый** in relative clauses where **кото́рый** is the subject and the verb is in the past tense. Past active participles, since they are adjectives in form, must agree in *number*, *gender*, and *case* with their antecedents. Study the following examples:

past – perfective

Челове́к, **написа́вший** э́ту кни́гу — хи́мик.

The man *who wrote* this book is a chemist.

(This sentence could also be written: Челове́к, **кото́рый написа́л** э́ту кни́гу — хи́мик.)

Бо́лее ста учёных, **жи́вших** в Ленингра́де, тепе́рь рабо́тают при институ́тах в ю́жной Росси́и.

More than one hundred scientists *who used to live* in Leningrad now work in institutes in southern Russia.

Истóрики, **встрéтившиеся** четы́ре гóда томý назáд в Москвé, не ви́дели нóвого университéта.	The historians *who met* four years ago in Moscow did not see the new university.
Президéнт говори́л со студéнтами, **учи́вшимися** с егó сы́ном.	The president spoke with the students *who had studied* with his son.
Трагéдия, **возни́кшая** в дрéвней Грéции, впослéдствии утрáтила свой первоначáльный религиóзный харáктер.	Tragedy, *which arose* in ancient Greece, subsequently lost its original religious character.

12-B. Additional Notes on Cardinal Numeral Declensions

1. Numerals from *1,000* to *1,000,000,000,000*.

1,000.	thousand	ты́сяч**а**
2,000.	two thousand	две ты́сяч**и**
5,000.	five thousand	пять ты́сяч
1,000,000.	million	миллиó**н**
2,000,000.	two million	дв**а** миллиóн**а**
5,000,000.	five million	пять миллиóн**ов**
1,000,000,000.	billion	миллиáрд
1,000,000,000,000.	trillion	биллиóн (!)

2. Numerals *40*, *90*, and *100* are declined as follows:

nom.	сóрок	девянóст**о**	ст**о**
gen.	сорок**á**	девянóст**а**	ст**а**
dat.	сорок**á**	девянóст**а**	ст**а**
acc.	сóрок	девянóст**о**	ст**о**
instr.	сорок**á**	девянóст**а**	ст**а**
prep.	сорок**á**	девянóст**а**	ст**а**

3. Numerals *50*, *60*, and *70* are declined as follows. The numeral *80* is also a joining of two declensions, but there is more variation in its stem (note how **вóсемь** changes).

Case	50, 60, 70	80
nom.	пятьдеся́т	вóсемь**десят**
gen.	пяти́десяти	восьми́**десяти**
dat.	пяти́десяти	восьми́**десяти**
acc.	пятьдеся́т	вóсемь**десят**
instr.	пятью́десятью	восемью́**десятью**
prep.	пяти́десяти	восьми́**десяти**

This declension simply involves the declension of **пять** to which is joined the declension of **десять**. Note that the **-ь** does not appear in final position in the nominative and accusative cases.

4. The declension of *200* and *500* will indicate the pattern for declension of numerals *200–900*.

nom.	двéсти	пятьсóт
gen.	двухсóт	пятисóт
dat.	двумстáм	пятистáм
acc.	двéсти	пятьсóт
instr.	двумястáми	пятьюстáми
prep.	двухстáх	пятистáх

5. Observe the patterns for such numbers as *1000* and *6000*:

nom.	тысяча	шесть тысяч
gen.	тысячи	шести тысяч
dat.	тысяче	шести тысячам
acc.	тысячу	шесть тысяч
instr.	тысячью (тысячей)	шестью тысячами
prep.	тысяче	шести тысячах

6. The words *million*, *billion*, and *trillion* are declined as regular hard stem masculine nouns:

nom.	миллиóн
gen.	миллиóна
dat.	миллиóну
acc.	миллиóн
instr.	миллиóном
prep.	миллиóне

12-C. Additional Notes on Cardinal Numerals

1. *Compound numerals*. The last element of a compound numeral determines the case of the dependent noun and its modifiers. (For rules regarding the use of numerals, see ¶ **9-F**.)

При институ́те **два́дцать оди́н** студе́нт.	In the institute there are twenty-one students.
Мы име́ем **сто одну́** ста́рую кни́гу.	We have a hundred and one old books.
Он предста́вил **шестьдеся́т два** сло́жных приме́ра.	He presented sixty-two complex examples.
Мы зна́ем **тридцати́ четырёх** знамени́тых хи́миков.	We know thirty-four famous chemists.
В библиоте́ке **ты́сяча пятьсо́т трина́дцать** больши́х книг.	In the library there are 1,513 large books.

Словá дирéктора отнóсятся к **ста шестúдесяти трём** исслéдовател**ям** институ́та.	The director's words relate to the one hundred and sixty-three researchers of the institute.
Егó кнúгу читáют в тридцатú пятú стрáн**ах**.	His book is read in thirty-five countries.

12-D. Óба, óбе : *both*

1. The word *both* is similar to the number *2* in that there is one form for the *masculine and neuter* (**óба**) and another for the *feminine* (**óбе**). They are declined as follows:

Case	*m. & n.*	*f.*
nom.	óба	óбе
gen.	обóих	обéих
dat.	обóим	обéим
acc.	óба *or* обóих	óбе *or* обéих
instr.	обóими	обéими
prep.	обóих	обéих

2. In the *nominative* and *inanimate accusative*, **óба** and **óбе** take nouns in the *genitive singular* and adjectives in *nominative* or *genitive plural*.

WHY THIS ENDING FOR NOMINATIVE

Óба америкáнских самолёт**а** летя́т высокó.	Both American planes are flying high.
Óбе молоды́**е** студéнт**ки** хорошó у́чатся.	Both young students (*f.*) are studying well.

3. In the *animate accusative*, genitive, dative, instrumental, and prepositional, **óба** and **óбе** agree in gender and case with the noun and its modifiers, which are in the plural.

Он держáл бумáгу **обéими** рукáми.	He held the paper with both hands.
Он внимáтельно следúл за **обóими** вáжными собы́тиями.	He followed both important events attentively.
Он увúдел **обóих** ру́сских студéнтов в библиотéке.	He saw both Russian students in the library.

12-E. Дóлжен: *must, have to*

1. The attributive adjective **дóлжный**, meaning *obliged* or *indebted*, is frequently used in its short forms to render *must* or *have to*. The short forms need be followed only by an *infinitive* to

form the present tense. They must always agree with the subject in *gender* and *number*.

m.	до́лж**ен**
f.	долж**на́**
n.	долж**но́**
pl.	долж**ны́**

Госуда́рство **должно́ слу- жи́ть** наро́ду.

The state *must* (*is obliged to*) *serve* the people.

Все трудя́щиеся **должны́ рабо́тать** о́коло семи́де- сяти часо́в в э́том ме́сяце.

All workers *must work* around seventy hours this month.

2. The *past tense* renders *had to* or *supposed to*, and is formed as follows:

m.	до́лжен был
f.	должна́ была́
n.	должно́ бы́ло
pl.	должны́ бы́ли

$\left.\right\}$ + *infinitive*

Мы **должны́ бы́ли напи- са́ть** двена́дцать пи́сем.

We had to write twelve letters.

— Геро́й мое́й траге́дии **до́л- жен был умере́ть**, — сказа́л а́втор.

"The hero of my tragedy had to die," said the author.

3. The *future tense* renders *shall* (or *will*) *have to*, and is formed as follows:

m.	до́лжен
f.	должна́
n.	должно́
pl.	должны́

$\left.\right\}$ + *future* of быть + *infinitive*

За́втра все **должны́ бу́дут рабо́тать**.

Tomorrow all (everybody) *will have to work*.

Ольга **должна́ бу́дет помо- га́ть** отцу́.

Olga *will have to help* [her] father.

12-F. The Particles -**то** and -**нибудь**.*

These particles, when added to certain pronouns, adjectives, or adverbs, lend an indefinite quality. The particle -**то** is more definite than -**нибудь**. Roughly stated: кто́-**то** means *someone*,

* The particle -**либо** is less frequently encountered. It has approximately the same meaning as **нибудь**: где́-**либо** (*some*where, *any*where); кто́-**либо** (*some*one, *any*one).

whereas кто́-**нибудь** means *any*one; где́-**то** means *some*where and где́-**нибудь** means *any*where (or *some*where with a very indefinite connotation); когда́-**то** means *some*time or *once*, whereas когда́-**нибудь** means *ever* (or *some*time in an indefinite sense). Note: **-нибудь** is used mostly in references to the future, in questions, and with the imperative; and **-то** is used primarily in references to the present and past. Study the following examples:

Вчера́ **кто́-то** по́льзовался инструме́нтами в мое́й лаборато́рии.	Yesterday *someone* was using the instruments in my laboratory.
Я хочу́ поговори́ть с **ке́м-нибудь** об э́том де́ле.	I want to have a talk with *someone* about this matter.
Мы **где́-то** встре́тились.	We met *somewhere*.
Сове́тский учёный рабо́тает **где́-то** в Москве́.	The Soviet scholar works *somewhere* in Moscow.
Мне придётся жить **где́-нибудь** в Ленингра́де о́коло университе́та.	I shall have to live *somewhere* in Leningrad near the university.
Он **когда́-то** был инжене́ром здесь.	He was *once* an engineer here.
Вы **когда́-нибудь** е́здили по Аме́рике?	Have you *ever* traveled about America?
Пое́дем **куда́-нибудь**.	Let's go *somewhere*.
Это сде́лали **како́й-то** маши́ной.	This was made with *some sort* of machine.

12-G. Лю́ди: *people*

Челове́к, meaning *person* or *man*, is not used in the plural except *after numbers* (in the genitive plural). The genitive plural, however, is the same as nominative singular. The plural, *people*, is rendered by **лю́ди**, which is declined as follows:

nom.	лю́ди
gen.	люде́й
dat.	лю́дям
acc.	люде́й
instr.	людьми́★
prep.	лю́дях

Мно́го **люде́й** в СССР ненави́дело Ста́лина.	Many people in the U.S.S.R. hated Stalin.
Втора́я кни́га о жи́зни Го́рького называ́ется ''В **лю́дях**.''	The second book about the life of Gorky is called ''Among the People.''

★ See Appendix B.

12-H. The Plural of "year" with Numbers

The word *year* (**год**) is used only after numbers *1* to *4* and after compounds ending in these numbers: e.g., **два го́да, четы́ре го́да, сто два́дцать три го́да.**

After numbers *5* to *20* and after compounds ending in these numbers, **годо́в** is *not* used but rather **лет**, which is the *genitive plural* of **ле́то** (*summer*): e.g., **пять лет, ты́сяча две́сти девятна́дцать лет.**

Текст (Text)

Read and translate.

СОВЕ́ТСКИЕ ИСТО́РИКИ ОБ АВРА́АМЕ ЛИНКО́ЛЬНЕ (I)

Линко́льн, Авра́ам (1809–1865) — выдаю́щийся америка́нский госуда́рственный де́ятель, президе́нт США от 1861-го до 1865-го го́да. Роди́лся в шта́те Кенту́кки. Рабо́тал дровосе́ком[1] на Миссиси́пи, зате́м почто́вым слу́жащим. Когда́ ему́ бы́ло два́дцать семь лет, он сдал экза́мен на адвока́та[2] и заня́лся юриди́ческой пра́ктикой, доста́вившей ему́ широ́кую изве́стность.

Линко́льн ненави́дел ра́бство и явля́лся сторо́нником освобожде́ния не́гров. Несмотря́ на сопротивле́ние рабовладе́льцев, Линко́льн, в 1860-м году́, как кандида́т от республика́нской па́ртии, стал президе́нтом США. Избра́ние Линко́льна послужи́ло для рабовладе́льческих[3] шта́тов Ю́га сигна́лом к откры́тому мятежу́. В апре́ле 1861-го го́да мяте́жники захвати́ли прави́тельственный форт Са́мтер (в шта́те Ю́жной Кароли́ны). Начала́сь гражда́нская война́ США, кото́рая, как ука́зывал К. Маркс, была́ борьбо́й двух социа́льных систе́м — систе́мы ра́бства и систе́мы наёмного[4] труда́.

В пе́рвый пери́од гражда́нской войны́ Линко́льн занима́л колеблющуюся[5] пози́цию, за что его́ критикова́ли К. Маркс и Ф. Э́нгельс, внима́тельно следи́вшие за собы́тиями в США.
(продолже́ние сле́дует)

---

[1] **дровосе́к** woodcutter
[2] **сдава́ть (сдать) экза́мен на адвока́та** to pass a bar examination
[3] **рабовладе́льческий** slave-owning
[4] **наёмный** hired
[5] **колеблющийся** wavering

Упражнéния (Exercises)

A. *Dictionary practice*

ТРОПОСФÉРА

В предéлах тропосфéры вóздух имéет такóй же состáв, как и у земнóй повéрхности, т.е. состоúт глáвным óбразом из азóта (78% по объёму) и кислорóда (21% по объёму). Состоя́ние вóздуха в тропосфéре характеризýется его давлéнием, температýрой и влáжностью. С повышéнием над земнóй повéрхностью плóтность вóздуха уменьшáется; обы́чно уменьшáются тáкже влáжность и температýра, так как в предéлах тропосфéры вóздух нагревáется за счёт излучéния теплá земнóй повéрхностью.

Парáметры тропосфéры меня́ются в завúсимости от врéмени гóда,* сýток и метеорологúческих услóвий. Наблюдéния за изменéниями метеорологúческих услóвий ведýтся на метеорологúческих стáнциях как в приземнóм слóе, так и на высотé. Для э́того измерúтельные прибóры поднимáют на воздýшных шарáх úли самолётах. Измерéния провóдят чéрез небольшúе интервáлы по высотé, что даёт возмóжность подрóбно исслéдовать строéние тропосфéры.

Коэффициéнт преломлéния вóздуха обы́чно считáют рáвным единúце. Но э́то справедлúво тóлько в пéрвом приближéнии. В действúтельности коэффициéнт преломлéния тропосфéры завúсит от давлéния, температýры и влáжности вóздуха и, хотя́ и незначúтельно, отличáется от единúцы. При нормáльных давлéнии, влáжности и температýре коэффициéнт преломлéния превышáет единúцу примéрно на $4 \cdot 10^{-4}$.

B. Select the appropriate participle in each sentence and translate the entire sentence.

1. Тепéрь нет учёных, принадлежáвшие / принадлежáвшим к поколéнию Менделéева. / принадлежáвших

    КОТОРЫЕ ПРИНАДЛЕЖА

2. Вот стáрый адвокáт, приéхавшего / приéхавший / приéхавшему сюдá из какóго-то ю́жного гóрода. КОТОРЫЙ приехал

* **врéмя гóда** *season* (For declension of **врéмя** see ¶ 14-B.)

3. Это — рома́н о лю́дях, {жи́вшие / жи́вших / жи́вшими} на ю́ге во вре́мя войны́.

КОТОРЫЕ ЖИЛИ

4. Пётр говори́л со студе́нткой, {получи́вшей / получи́вшую / получи́вшая} письмо́ из По́льши.

instr. *КОТОРАЯ ПОЛУЧИЛА* *(to be found* *reflexive*

5. Я уже́ зна́ю слова́, {находи́вшаяся / находи́вшиеся / находи́вшихся} в но́вом уро́ке.

reflexive *КОТОРЫЕ НАХОДИЛИСЬ,*

6. Ма́ша написа́ла письмо́ какому́-то госуда́рственному де́ятелю, {встре́тившийся / встре́тившегося / встре́тившемуся} с ней во вре́мя войны́.

state *official* *dat masc.*

КОТОРЫЙ

7. Она́ мне говори́ла об отце́, {жи́вшего / жи́вший / жи́вшем} когда́-то в за́падной Росси́и.

Prep ending masc. *КОТОРЫЙ ЖИЛ*

8. Вы когда́-нибудь встреча́лись с людьми́, {получа́вшими / получа́вших / получа́вшие} журна́лы из Сове́тского Сою́за?

instr plural *КОТОРЫЕ ПОЛУЧА*

9. Что он до́лжен бу́дет сказа́ть сове́тским писа́телям, {прочита́вших / прочита́вшими / прочита́вшим} его́ кни́гу?

should

10. Исто́рик написа́л кни́гу о мяте́жниках, {захвати́вшие / захвати́вшими / захвати́вших} Форт Са́мтер.

PREP. PLURAL ЗАХВАТИЛИ

11. Он уже́ не по́мнит собы́тий, {послужи́вших / послужи́вшие / послужи́вшим} сигна́лом к войне́.

gen plural

КОТОРЫЕ ПО

12. Вчера́ у́мер почто́вый слу́жащий, {рабо́тавшего / рабо́тавший / рабо́тавшие} здесь два́дцать шесть лет.

to die *worker*

13. Со студе́нткой, так $\left\{\begin{array}{l}\text{ненави́девшая}\\ \text{ненави́девшей}\\ \text{ненави́девшую}\end{array}\right.$ Ста́лина, мы не гово-

ри́ли.

instru — Кото́рая ненави́дела

C. Pick out the number that does not belong in each of the following groups and explain why it does not belong in the group.

1. два, четы́ре, во́семь, девятна́дцать
2. пятьдеся́т два, трём, шесть́ю, одно́й
3. двена́дцатью, пяти́, шесть́ю, сорока́
4. два́дцать, со́рок, шестьдеся́т, се́мьдесят
5. пятна́дцати, шестьюста́ми, тремя́, девяно́ста
6. восемна́дцать, двена́дцать, четы́рнадцать, пятна́дцать
7. шесть, оди́ннадцать, два́дцать четы́ре, восемна́дцать
8. сто, се́мьдесят четы́ре, пятьдеся́т, два́дцать пять

Тринáдцатый Урóк

THIRTEENTH LESSON

Словáрь (Vocabulary)

вмешáтельство	interference	половúна	half
внéшний	external, foreign	примéрный	approximate
вы́бор	election, choice	прóтив (+ *gen.*)	against
выступáть	to come out	равня́ться	to equal
(вы́ступить)		(поравня́ться)	
готóвить	to prepare	рáнить	to wound
(приготóвить)		сúла	force, power
дрýжественный	friendly	стремúться	to strive
завершéние	completion	(устремúться)	
излагáть	to explain, to	укреплéние	strengthening
(изложúть)	expound	услóвие	condition
круг	circle	успéшный	successful
направля́ть	to direct, to guide	устанáвливать	to establish
(напрáвить)		(установúть)	

Associated Words

дéятельность	activity	проводúть	to draw, to enact,
избирáть	to elect	(провестú)	to conduct, to
(избрáть)			spend (*time*)
инострáнный	foreign	решáть	to decide, to solve
испóльзовать	to use, to make	(решúть)	
	use of	смертéльный	mortal
междунарóд-	international	снóва	again, anew
ный		треть (*f.*)	one-third
обеспéчение	guarantee	утрáта	loss
отношéние	relation	чéтверть (*f.*)	one-quarter, one-
пóльза	benefit, advantage		fourth
приходúть	to arrive		
(прийтú *or*			
придтú)			

109

Loan Words

аге́нт	agent	март	March
А́нглия	England	ми́нус	minus
а́рмия	army	мину́та	minute
банки́р	banker	планта́тор	plantation owner
генера́л	general	плюс	plus
инициати́ва	initiative	поли́тика	policy, politics
интерве́нция	intervention	порт	port
Интернацио-на́л	Internationale	прогресси́вный	progressive
		реакцио́нный	reactionary
капитули́ро-вать	to capitulate	тради́ция	tradition
		Фра́нция	France
класс	class	энциклопе́дия	encyclopedia
кома́ндование	command	эска́дра	squadron
коммунисти́-ческий	communist		

Expressions for Memorization

в то же вре́мя	at the same time
в по́льзу (+ *gen.*)	in favor (of)
тому́ наза́д	ago
во главе́ с (+ *instr.*)	headed by
так называ́емый (так наз.)	so-called
в настоя́щее вре́мя	at the present time

В то же вре́мя на́до по́мнить, что дире́ктор не банки́р.
At the same time it is necessary to remember that the director is not a banker.

Сове́т реши́л вопро́с **в по́льзу** рабо́чих.
The council decided the question in the workers' favor.

Семь лет **тому́ наза́д** я жил в Пари́же.
Seven years ago I was living in Paris.

Росси́я ста́ла респу́бликой в феврале́ 1917-го го́да, но республика́нское прави́тельство **во главе́ с** Ке́ренским существова́ло то́лько не́сколько ме́сяцев, до **так называ́емой** "Октя́брьской" револю́ции 1917-го го́да.
Russia became a republic in February 1917, but the Republican government, headed by Kerensky, existed only a few months, until the so-called "October Revolution" of 1917.

В настоя́щее вре́мя в Сове́тском Сою́зе пятна́дцать респу́блик.
At the present time there are fifteen republics in the Soviet Union.

Грамма́тика (Grammar)

13-A. The Present Passive Participle

1. This *verbal adjective* is formed by adding to the first person plural of the verb in the present tense* the following endings:

* Only imperfective verbs have a present tense.

-ый for masculine, **-ая** for feminine, **-ое** for neuter, and **-ые** for plural.

INFINITIVE	FIRST PERSON PLURAL	PRESENT PASSIVE PARTICIPLE (*m.*)
получа́ть	получа́ем	получа́ем**ый**
обознача́ть	обознача́ем	обознача́ем**ый**
производи́ть	производи́м	производи́м**ый**
называ́ть	называ́ем	называ́ем**ый**

2. *Use of the present passive participle.* This participle may be used as an attributive adjective and in a clause. In both cases it agrees in *number*, *gender*, and *case* with the word it modifies. It may also be used predicatively.

Изве́стия, **получа́емые** на́ми из Сове́тского Сою́за, хоро́шие.	The news which we get from the Soviet Union is good.
Мно́го зави́сит от о́пытов, **производи́мых** на́шими фи́зиками.	Much depends on the experiments being conducted by our physicists.

3. *Short forms of the present passive participle.* These are formed and used in the same way as short forms of any adjective, that is, by adding to the stem of the adjective a ''zero'' ending for the masculine, **-a** for the feminine, **-o** for the neuter, and **-ы** for the plural.

Профе́ссор все́ми свои́ми студе́нтами глубо́ко люби́м.	The professor is deeply loved by all his students.

13-B. Additional Notes on Cardinal Numbers

1. The prefix **пол-** means *half*. The noun to which **пол-** is prefixed is always in the *genitive singular*. Thus:

полчаса́	half an hour
полдеся́тка	half a ten
(similar to our *half a dozen*)	

Note also two special cardinal numbers: **полтора́** *one and a half*; **полтора́ста** *one hundred and fifty*. When declined these numbers become **полу́тора** and **полу́тораста** respectively in all cases except accusative.

Мы провели́ о́коло **полу́тора** часа́ в лаборато́рии.	We spent about an hour and a half in the laboratory.
О́бщество состои́т из **полу́тораста** хи́миков.	The society consists of one hundred fifty chemists.

2. Addition, subtraction, multiplication, and division of cardinal numbers.*

Note that in the following examples the *reflexive* verb is followed by the *dative case* of the numeral involved.

Шесть плюс три равняется девяти.	Six plus three equals nine (*lit.* six plus three equals itself to nine).
Тринадцать минус десять равняется трём.	Thirteen minus ten equals three.
Семь помноженное на пять равняется тридцати пяти.	Seven times five equals thirty five.

Note: **помноженное** is actually the past passive participle of **помножить** *to multiply*. The preposition **на** here means *by*. *Literally*, the sentence above reads: Seven which has been multiplied by five equals thirty five.

Сто **разделённое на** двадцать пять равняется четырём.	One hundred *divided by* twenty five equals four.

Note: **Разделённое** is the past passive participle of **разделить** *to divide*. In the "multiplication" and "division" sentences above, the translation of **на** as *by* should be remembered, for this usage is often encountered in scientific prose.

3. *Indicating age.* The person or thing whose age is being indicated is put into the *dative case*.

Мне сорок семь лет.	I am forty-seven years old (*lit.* to me are forty-seven years).
Директору шестьдесят два года.	The director is sixty-two.
Этим зданиям примерно сто лет.	These buildings are approximately one-hundred-years old.

13-C. Ordinal Numerals

Russian ordinal numerals (like the English *first, second, twenty-fifth, millionth*) are adjectives and therefore must agree in gender, number and case with the nouns they modify. Note that in compound ordinals (such as *thirty-sixth, one-hundred-eighth*) only the *final*

* In spoken Russian one may hear simpler constructions: Дважды два — четыре ($2 \times 2 = 4$); пятью семь — тридцать пять ($5 \times 7 = 35$); десять раз пять — пятьдесят ($10 \times 5 = 50$); шесть и три будет девять ($6 + 3 = 9$).

numeral is formally an ordinal; the preceding numerals are cardinals.

пе́рвый	first	оди́ннадцатый	eleventh
второ́й	second	двена́дцатый	twelfth
тре́тий	third	трина́дцатый	thirteenth
четвёртый	fourth	четы́рнадцатый	fourteenth
пя́тый	fifth	пятна́дцатый	fifteenth
шесто́й	sixth	шестна́дцатый	sixteenth
седьмо́й	seventh	семна́дцатый	seventeenth
восьмо́й	eighth	восемна́дцатый	eighteenth
девя́тый	ninth	девятна́дцатый	nineteenth
деся́тый	tenth	двадца́тый	twentieth

два́дцать пе́рвый	twenty-first
два́дцать второ́й	twenty-second
тридца́тый	thirtieth
сороково́й	fortieth
пятидеся́тый	fiftieth
шестидеся́тый	sixtieth
семидеся́тый	seventieth
восьмидеся́тый	eightieth
девяно́стый	ninetieth
со́тый	hundredth
сто пе́рвый	hundred-first

двухсо́тый	two-hundredth	семисо́тый	seven-hundredth
трёхсо́тый	three-hundredth	восьмисо́тый	eight-hundredth
четырёхсо́тый	four-hundredth	девятисо́тый	nine-hundredth
пятисо́тый	five-hundredth	ты́сячный	thousandth
шестисо́тый	six-hundredth	миллио́нный	millionth

13-D. Fractions

1. *One-fourth, one-third* and *one-half* are feminine nouns.

че́тверть	one-fourth
треть	one-third
полови́на	one-half

2. When used in combination with other numbers, these must be declined accordingly.

три че́тверти	three-fourths
две тре́ти	two-thirds
две полови́ны	two-halves

3. Other fractions are formed as follows:

однá пя́т**ая** (**часть**)	one-fifth (*part*)
две пя́т**ых** (чáс**ти**)	two-fifths (parts)
шесть деся́т**ых** (част**éй**)	six-tenths (parts)
семь восьм**ы́х** (част**éй**)	seven-eighths (parts)
семнáдцать сóт**ых**	seventeen-hundredths
двáдцать вóсемь ты́сячн**ых**	twenty-eight—thousandths

13-E. Telling Time

1. Russians often employ a method of telling time which involves cardinals, ordinals, and fractions. Students of Russian must learn this for accurate translation.

2:15	чéтверть трéтьего	a quarter of the third (hour)
3:30	половúна четвёртого	half of the fourth (hour)
3:45	без чéтверти четы́ре	less one-quarter, four
	or	*or*
	три чéтверти четвёр-того	three-quarters of the fourth

2. Other times are indicated similarly. The time *past* the hour *until* the half hour is expressed as "so many minutes of the next hour." That "next hour" is the genitive of an *ordinal* numeral.

5:16	шестнáдцать (минýт) шестóго
10:28	двáдцать вóсемь (минýт) одúннадцатого
12:10	дéсять (минýт) пéрвого

3. *After* the half hour the Russian uses the formula of "less so many minutes, the hour (*cardinal*)":

9:43	без семнáдцати (минýт) дéсять
11:57	без трёх (минýт) двенáдцать

4. There is a considerably easier system of telling time which is used in airports, railroad stations. It is sometimes used under other circumstances in place of the system described above.

11:30	одúннадцать трúдцать	eleven thirty
12:27	двенáдцать двáдцать семь	twelve twenty-seven
3:47	три сóрок семь	three forty-seven

5. To render "*at* such-and-such a time," one simply puts the preposition **в** before the time. If the time involves a construction with **без**, the **в** is omitted.

Кла́ссы начина́ются **в** чет-
верть девя́того.

Classes begin at a quarter past
eight.

Она́ умерла́ **без** пяти́ семь.

She died at five minutes to
seven.

Он придёт **в** семна́дцать две-
на́дцатого.

He will arrive at seventeen
minutes after eleven.

6. To render *"in* so many minutes," the preposition **че́рез**
(through) is used.

Он придёт **че́рез** че́тверть
часа́.

He will arrive in a quarter of
an hour.

Мы лети́м в Ленингра́д
че́рез два́дцать пять мину́т.

We are flying to Leningrad in
twenty-five minutes.

13-F. Dates

1. Ordinal numerals are also involved in expressing dates. The
last element of a date is in the *ordinal form.* *"In* such and such a
year" is rendered by the preposition **в** followed by the date in the
prepositional. *Only* the ordinal element (and the word *year*) is
declined.

Колу́мб откры́л Аме́рику **в**
ты́сяча четы́реста девя-
но́сто **второ́м** году́.*

Columbus discovered America
in 1492.

Галиле́й роди́лся **в** ты́сяча
пятьсо́т шестьдеся́т **четвёртом** году́.

Galileo was born in 1564.

2. To express *"on* such and such a date," the *ordinal element of
the date* (and the word *year*) is in the genitive.

Ру́звельт у́мер двена́дцат**ого**
апре́ля ты́сяча девятьсо́т
со́рок пя́т**ого** го́д**а**.

Roosevelt died on the twelfth
of April, 1945.

Но́вый институ́т откро́ется
пе́рв**ого** января́ ты́сяча
девятьсо́т шестьдеся́т ше-
ст**о́го** го́д**а**.

The new institute will open
the first of January, 1966.

* See Appendix B for examples of masculine nouns ending in **-у́** and **-ю́**
after **в** and **на**.

Текст (Text)

Read and translate.

СОВЕ́ТСКИЕ ИСТО́РИКИ О АВРА́АМЕ ЛИНКО́ЛЬНЕ (II)

Вне́шняя поли́тика Линко́льна была́ напра́влена[1] на обеспе́чение усло́вий для успе́шного заверше́ния войны́ про́тив мяте́жников и предотвраще́ние[2] вмеша́тельства иностра́нных госуда́рств, пре́жде всего́ А́нглии и Фра́нции, гото́вивших вооружённую[3] интерве́нцию в по́льзу рабовладе́льцев. В то же вре́мя Линко́льн стреми́лся установи́ть дру́жественные отноше́ния с Росси́ей, кото́рая вы́ступила про́тив вмеша́тельства А́нглии и Фра́нции и напра́вила две эска́дры в америка́нские по́рты, что сыгра́ло большу́ю роль в укрепле́нии междунаро́дных пози́ций прави́тельства Линко́льна.

В ты́сяча восемьсо́т шестьдеся́т четвёртом году́ Линко́льна сно́ва избра́ли президе́нтом США. Он одержа́л верх над[4] реакционе́ром генера́лом МакКле́лланом. По́сле побе́ды Линко́льна на вы́борах Генера́льный Сове́т Пе́рвого Интернациона́ла по инициати́ве К. Ма́ркса и Ф. Э́нгельса посла́л приве́тствие[5] Линко́льну.

Девя́того апре́ля ты́сяча восемьсо́т шестьдеся́т пя́того го́да ю́жная а́рмия под кома́ндованием генера́ла Ли капитули́ровала. Четы́рнадцатого апре́ля ты́сяча восемьсо́т шестьдеся́т пя́того го́да Линко́льна смерте́льно ра́нил аге́нт планта́торов и нью-йо́ркских банки́ров Бутс.

Смерть Линко́льна яви́лась тяжёлой утра́той для америка́нского наро́да. Де́ятельность Линко́льна име́ла большо́е прогресси́вное значе́ние. Коммунисти́ческая па́ртия и все прогресси́вные си́лы США испо́льзуют лу́чшие тради́ции Линко́льна в свое́й борьбе́ за демокра́тию, про́тив реакцио́нной поли́тики америка́нских пра́вящих круго́в.

—Adapted from ''Больша́я Сове́тская Энциклопе́дия,'' 1954

---

[1] **напра́вленный** directed **напра́влена**, *f.*, *short form of past passive participle*

[2] **предотвраще́ние** prevention

[3] **вооружённый** armed

[4] **одержа́ть верх над** to get the upper hand of

[5] **приве́тствие** greetings

Упражнéния (Exercises)

A. *Dictionary practice*

ЭЛЕКТРÓННЫЕ ЦИФРОВÝЕ МАШИ́НЫ*

В настоя́щее врéмя почти́ любýю наýчно-техни́ческую проблéму мóжно исслéдовать при пóмощи математи́ческих мéтодов. Для э́того исслéдуемый процéсс представля́ется в ви́де систéмы уравнéний и́ли фóрмул. Электрóнные цифровы́е маши́ны позвóлили реши́ть ряд проблéмных вопрóсов, котóрые не могли́ быть разрешены́† стáрыми срéдствами вычисли́тельной тéхники. Ужé на пéрвых этáпах своегó существовáния э́ти маши́ны помогли́ соверши́ть ряд важнéйших откры́тий почти́ во всех областя́х наýки и тéхники.

Крóме решéния математи́ческих задáч, электрóнные цифровы́е маши́ны мóгут осуществля́ть выполнéние ря́да логи́ческих задáч: перевóд тéкста с одногó языкá на другóй, решéние шáхматных этю́дов, библиографи́ческий подбóр трéбуемой литератýры и т.д.‡

В Совéтском Сою́зе придаётся большóе значéние разви́тию вычисли́тельной тéхники и, в чáстности, произвóдству электрóнных цифровы́х маши́н. Ужé сейчáс у нас рабóтает ряд совремéнных цифровы́х маши́н, таки́х, как БЭСМ, «Стрелá», «Урáл», М-2 и др.; мнóго маши́н нахóдится в стáдии произвóдства и проекти́рования.

B. Select the correct form of the *present passive participle* and translate the entire sentence.

[handwritten: GENITIVE PLURAL MASC.]

1. Кто мóжет мне объясни́ть значéние óпытов, {производи́мых / производи́мые / производи́мое}

в э́том мéсяце в СССР?

[handwritten: nom. masc. plural]
[handwritten: производим ← add + bix 1st p. plural]

2. Вопрóсы, {решáемыми / решáемые / решáемая} специали́стами, мне кáжутся óчень трýдными.

3. Я нашёл нéсколько оши́бок в кни́ге, {читáемая / читáемой / читáемыми} мои́ми студéнтами.

[handwritten: fem. sing prep]

---

* Г. Д. Смирнóв, **Электрóнные цифровы́е маши́ны** (Москвá, 1958).
† **разрешены́** solved (This is a short form of the past passive participle.)
‡ **и т.д.** and so forth.

Dat. mas s.ng

4. Президе́нт что-то сказа́л иссле́дователю, {любимому / любимыми все́ми / любимый}

студе́нтами.

Here is a lesson with words

5. Вот уро́к со слова́ми, {встреча́емые / встреча́емыми ка́ждый день в лабо- / встреча́емых}

рато́риях. *instru. plural*

6. Э́та студе́нтка хо́чет нам объясни́ть значе́ние о́пыта, {производи́мый / производи́мом сего́дня в лаборато́рии. / производи́мого} *gen.*

7. Вопро́с, {реша́емых / реша́емыми специали́стом, ка́жется вам тру́дным? / реша́емый}

nom   *DAT PLUR.*

8. Президе́нт ничего́ не сказа́л профессора́м, {любимым / любимыми / любимых}

студе́нтками.

9. В кни́гах, {чита́емые / чита́емых мои́ми студе́нтами, нет теоре́м. / чита́емыми}

10. Я чита́ю фо́рмулу, ча́сто {встреча́емую / встреча́емая в хими́ческих жур- / встреча́емой}

на́лах.

C. Find the correct answers to the problems in column I in column II (which also contains unsuitable answers).

a. де́вять помно́женное на де́сять

b. три́дцать ми́нус пятна́дцать

c. оди́ннадцать плюс во́семь

d. две́сти де́сять разделённое на три́дцать

e. ты́сяча сто три́дцать семь ми́нус ты́сяча во́семьдесят оди́н

f. девятна́дцать плюс шестна́дцать

a. равня́ется сорока́ девяти́

b. равня́ется пяти́десяти шести́

c. равня́ется девяно́ста

d. равня́ется ста двадцати́ восьми́

e. равня́ется двумста́м девяно́ста

f. равня́ется тридцати́ пяти́

g. тысяча разделённая на пятьдеся́т

g. равня́ется двадцати́ четырём

h. сто три́дцать пять разде-лённое на со́рок пять

h. равня́ется двадцати́

i. пятна́дцать помно́женное на шестна́дцать

i. равня́ется девятна́дцати

j. две́сти во́семьдесят оди́н ми́нус две́сти шестьде-ся́т три

j. равня́ется восемна́дцати

k. сто пятьдеся́т плюс сто со́рок

k. равня́ется пятна́дцати

l. сто со́рок семь разделён-ное на три

l. равня́ется девяти́

m. шесть помно́женное на четы́ре

m. равняется трём

n. равня́ется девяно́ста двум

o. равня́ется двумста́м сорока́

p. равня́ется семи́

D. Select the correct set of words and translate the entire sentence.

1. В библиоте́ке учёного о́коло ⎰ пятисо́т книг.
⎱ пятьюста́ми кни́гами.
  пятиста́м кни́гам.

2. В два́дцать ⎰ четвёртый уро́к
⎱ четвёртым уро́ком мно́го сло́жных фо́рмул.
  четвёртом уро́ке

3. Аля́ска ста́ла со́рок ⎰ девя́тый штат
⎱ девя́том шта́те   США.
  девя́тым шта́том

4. Его́ после́дние кни́ги посла́ли ⎰ шестьдеся́т школ.
⎱ шести́десяти шко́лам.
  шести́десяти шко́лах.

5. Хи́мик описа́л ⎰ тремя́ но́выми ти́пами
⎱ три но́вых ти́па   эне́ргии.
  трёх но́вых ти́пов

6. Адвока́т придёт к ⎰ семь часо́в.
⎱ семи́ часа́м.
  семи́ часо́в.

7. Она́ мне показа́ла кни́гу о ⎰ двена́дцати ва́жных элеме́нтах.
⎱ двена́дцатью ва́жными элеме́нтами.
  двена́дцати ва́жных элеме́нтов.

8. Учёный умеет говорить на
  - пяти иностранных языков.
  - пятью иностранными языками.
  - пяти иностранных языках.

9. Вчера производились четыре
  - интересных опыта.
  - интересных опытов.
  - интересными опытами.

10. Директор это сказал
  - восьми биологам
  - восьми биологов института.
  - восьми биологах

Четырнадцатый Урóк

FOURTEENTH LESSON

Словáрь (Vocabulary)

богáтый	rich	признáние	acknowledgement, confession
глубóкий	deep	природный	natural, innate
гóрдость (*f.*)	pride	причина	reason, cause
греть (нагрéть)	to heat, to warm	путь (*m.*)	way, path, means
давнó	long ago, already	разнообрáзный	diverse
духóвный	spiritual	слáва	fame
замечáтельный	remarkable	средú (+ *gen.*)	among
имя	name	срéдство	means
искýсство	art	страница (стр.)	page (p.)
мировóй	world (*adj.*)	сторонá	side
недáвно	recently	ступáть	to stride, to step
неодинáковый	unequal	(ступить)	
обнимáть	to embrace	ýровень (*m.*)	level
(обнять)			

Associated Words

англичáнин	Englishman	открытие	discovery
вклад	contribution	понятие	concept
всеóбщий	common, univer-sal	проявлéние	manifestation
		рýкопись (*f.*)	manuscript
дрéвность (*f.*)	antiquity	создавáть	to create
исслéдование	investigation, research	(создáть)	
		составлять	to compose, to compile
общéственный	social	(составить)	
окружáть	to surround	существовáние	existence
(окружить)		цéнный	valuable

Loan Words

бутылка	bottle	материáльный	material
геогрáфия	geography	национáльный	national

гру́ппа	group	поли́ция	police
гума́нность	humaneness	пробле́ма	problem
дека́брь (*m.*)	December	специа́льность	speciality
европе́йский	European	(*f.*)	
ию́нь (*m.*)	June	те́хника	technique, technics
кла́ссовый	class		
компози́тор	composer	физи́ческий	physical

Expressions for Memorization

бо́льшей ча́стью	for the most part
с одно́й стороны́ . . . с друго́й	on the one hand . . . on the other
и т.д. (и так да́лее)	etc. (and so forth)
по пра́ву	by rights
см. вы́ше (смотри́те вы́ше)	see above
путём (+ *gen.*)	by means of

Студе́нты **бо́льшей ча́стью** понима́ют вопро́сы.
The students for the most part understand the questions.

С одно́й стороны́ их рабо́та о́чень интере́сна, **с друго́й** (**стороны́**) она́ не име́ет большо́го значе́ния.
On the one hand their work is very interesting; on the other hand, it does not have great significance.

В библиоте́ке есть произведе́ния Толсто́го: «Анна Каре́нина», «Война́ и мир» **и т.д.**
In the library are Tolstoy's works: *Anna Karenina, War and Peace,* etc.

«Анна Каре́нина» **по пра́ву** принадлежи́т к класси́ческим произведе́ниям мирово́й литерату́ры.
Anna Karenina belongs by rights to the classic works of world literature.

Это поня́тие отно́сится к вопро́су о материа́льном у́ровне коммунисти́ческого о́бщества (**см. вы́ше**).
This concept relates to the problem of the material level of communist society (see above).

Я э́то узна́л **путём** иссле́дований, произведённых мно́ю в лаборато́рии.
I found this out by means of research, which I had conducted in the laboratory.

Грамма́тика (Grammar)

14-A. The Past Passive Participle

This *verbal adjective* occurs in the long, or attributive, and the short, or predicative, forms.

1. *Long form*

a. Characteristic endings of the long forms in the nominative are **-нный, -нная, -нное,** and **-нные.** The formation of the stems to which these endings are joined varies with different classes of verbs.

For the purpose of translation, however, it is only necessary to identify the *participial form*, which is easily done by noting the characteristic **-нн-**, followed by an adjectival ending.

INFINITIVE	LONG FORM (*m.*)
сде́лать	сде́ла**нный**
получи́ть	полу́че**нный**
принести́	принесё**нный**

b. Verbs in **-нуть -нять, -ыть** and some others form the past passive participial long form by dropping **-ь** from the infinitive and adding **-ый, -ая, -ое**, and **-ые**,

INFINITIVE	LONG FORM (*m.*)
тро́нуть To touch	тро́нут**ый** To be touched
заня́ть To occupied	за́нят**ый** To be occupied
откры́ть To open	откры́т**ый** To be opened
греть	гре́т**ый**
нача́ть To begin	на́чат**ый** To be started

c. Use of the past passive participle. This participle must agree in *number*, *gender*, and *case* with the word that it modifies. Study the following examples:

В Аме́рике ма́ло автомоби́лей, **сде́ланных** в СССР.	There are few automobiles in America *made* in the U.S.S.R.
Он говори́л о письме́, **полу́ченном** вчера́.	He was speaking about the letter *which was received* yesterday.
Все осма́тривали нове́йшую маши́ну, неда́вно **привезённую** с фа́брики.	Everyone was inspecting the latest machine, recently *brought* from the factory.

2. Short form

a. The short forms of the past passive participles ending in **-нный**, etc., are formed from the long forms by merely dropping the endings and adding **-н, -на, -но**, and **-ны**.

INFINITIVE	LONG FORM (*m.*)	SHORT FORMS
сде́лать	сде́ла**нный**	сде́лан, сде́лана, сде́лано, сде́ланы
получи́ть	полу́че**нный**	полу́чен, полу́чена, полу́чено, полу́чены

(handwritten: was made)

b. Short forms of the past passive participles ending in **-тый** etc., are similar to the short forms for any adjectives.

INFINITIVE	LONG FORM (*m.*)	SHORT FORMS
заня́ть	за́ня**тый**	за́нят, занята́, за́нято, за́няты
откры́ть	откры́**тый**	откры́т, откры́та, откры́то, откры́ты

c. Use of the short forms of the past passive participle. These are very often encountered in written Russian in the rendering of *passive predicative* constructions. Study the following examples:

По́длинный текст э́того сообще́ния **был полу́чен** второ́го декабря́.	The original text of this communication was received on the second of December.
Э́то ва́жное откры́тие **бы́ло сде́лано** в 1939-м году́.	This important discovery was made in 1939.
Он **был** глубоко́ **тро́нут** проявле́нием гума́нности э́того наро́да.	He was deeply touched by this people's manifestation of humaneness.
Мы о́чень **за́няты**.	We are very busy (*lit.* occupied)
В 1745-м году́ М. В. Ломоно́сов **был и́збран** акаде́миком.	In 1745 M. V. Lomonosov was elected academician.
Иссле́дование **бы́ло на́чато** одни́м из нас в ию́не э́того го́да.	The investigation was begun by one of us in June of this year.

14-B. Special Declensions*

1. The following plural declension embraces many nouns denoting nationality.

nom. sing.	англича́**нин**
nom. pl.	англича́**не**
gen. pl.	англича́**н**
dat. pl.	англича́**нам**
acc. pl.	англича́**н**
instr. pl.	англича́**нами**
prep. pl.	англича́**нах**

This pattern is followed by all such nouns having the nominative singular ending in **-ин**:

славяни́н	Slav	христиани́н	Christian
тата́рин	Tartar	крестья́нин	peasant
датча́нин	Dane	дворяни́н	nobleman

* See Appendix C for other special declensions.

2. Neuter nouns in **-мя** are declined like **вре́мя**.

	SINGULAR	PLURAL
nom.	вре́мя	времена́
gen.	вре́мени	времён*
dat.	вре́мени	времена́м
acc.	вре́мя	времена́
instr.	вре́менем	времена́ми
prep.	вре́мени	времена́х

IMPORTANT

Note the following common expressions involving **вре́мя**:

со вре́менем	in time, gradually
вре́мя от вре́мени	from time to time
во вре́мя (+ *gen.*)	during
во вре́мя войны́	during the war
во́-время (во́время)	in time
Он прие́хал во́-время.	He arrived in time.
в то же са́мое вре́мя	at that very same time
в своё вре́мя	in due time, at one time, in good time

14-C. Сам, сама́, само́, са́ми,

1. This emphatic personal pronoun meaning *self* is declined as follows:

Case	*m.*	*f.*	*n.*	*pl.*
nom.	сам	сама́	само́	са́ми
gen.	самого́	само́й	самого́	сами́х
dat.	самому́	само́й	самому́	сами́м
acc.	самого́	самоё (!)	само́	сами́х
instr.	сами́м (!)	само́й (ою)	сами́м (!)	сами́ми
prep.	само́м	само́й	само́м	сами́х

IMPORTANT

Examples:

Эти изобрета́тели **са́ми** сде́лали всё в лаборато́рии.	These inventors did everything in the laboratory *themselves*.
Англича́нин **сам** написа́л мне по-ру́сски.	The Englishman *himself* wrote to me in Russian.
Он неда́вно говори́л с **сами́м** президе́нтом.	He recently was talking with the president *himself*.

2. This word can easily be confused with forms of **са́мый**, *the same, the very*. (The reader will remember that **са́мый** also is used

* Genitive plural of **семя** *seed* is **семя́н**.

with adjectives to form superlatives; it is declined as a hard-stem adjective.) Study the following examples involving forms of both **сам** and **са́мый**.

Он рабо́тал в **са́мом** це́нтре го́рода.	He worked in the very center of town.
Он учи́лся при **само́м** институ́те.	He studied at the institute itself.
Он жил в том же **са́мом** до́ме.	He lived in that very same house.
В **само́й** библиоте́ке бы́ли ты́сячи книг.	There were thousands of books in the library itself.
Я **сам не** зна́ю отве́та.	I myself don't know the answer.
Мы отве́тили на э́тот **са́мый** вопро́с не́сколько мину́т тому́ наза́д.	We answered that very same question several minutes ago.
Мы о́ба прие́хали в то же **са́мое** вре́мя.	We both arrived at the very same time.

14-D. Common Prefixes and their Meanings

An understanding of these prefixes will expand the reader's present vocabulary and simplify the understanding of new words. Readers should, however, be cautioned that these prefixes *do not always* convey the meanings given below.

без-, бес-	without, -less, dis-	lawless беззако́нный irresponsible безотве́тственный weak бесси́льный
в-, во	into, in	import ввоз to enter входи́ть entrance вход
воз-, вз-, вос-, вс-	up, off	to raise, to increase возвыша́ть to take off (*airplane*) взлета́ть to uncover вскрыть
вы-	out of, out	to pour out вылива́ть to leave выходи́ть to issue выдава́ть
до-	up to	to live to, to attain дожива́ть accessible досту́пный
за-	The possible meanings conveyed by this prefix are too numerous to be specified.	

между, меж-	inter-	international междунаро́дный
		inter-planetary межпланéтный
на-	See comment on **за** above.	
над-, надо-	over, above, super-	overhead, aerial надзéмный
		inscription нáдпись
не-	un-, in-, non-	inaccessible недосту́пный
		nonpolar неполя́рный
низ-, нис-	down	to fall down ниспадáть
		descent нисхождéние
о-, об, обо-	about, around, de-	to designate обознача́ть
		to embrace, to hug обнимáть
от-, ото-	out, away from	to retreat отступáть
		to go away отходи́ть
пере-, пре-	across, over, trans-	to translate переводи́ть
		to transfer переноси́ть
		to superheat перегревáть
		to transmit, to convey передавáть
по-	This common prefix is used to form the *perfective*. It also gives the connotation of "a little while" to many verbs.	
		to stand a little while постоя́ть
		to speak a little поговори́ть
под-, подо-	under, sub-, towards	to approach подходи́ть
		to sign подпи́сывать
		to subscribe подпи́сываться
		underground подзéмный
полу-	half, semi-, demi-	semimetal полуметáлл
		semisolid полутвёрдый
		demigod полубóг
пред-	before, pre-	prophecy предсказáние
		proposal предложéние
при-	towards	arrival приéзд
		influx, tide прили́в
про-	past, through	wire, conductor прóвод
		to look through просмáтривать
противо-	against, anti-	gas mask противогáз
		contrast противоположéние
		anti-aircraft противосамолётный
равно-	equi-, iso-	equilibrium, balance равновéсие
		isochronous равноврéменный
раз-, рас-, разо-	apart, to pieces, dis-	to distribute раздавáть
		to divide разделя́ть
		overflow, flood разли́в

разно-	different, hetero-	variety разнови́дность heterogeneity разноро́дность
с-, со-	con-, co-, with, down, off	contemporary совреме́нный collaborator сотру́дник to descend сходи́ть
сверх-	super-	superman сверхчелове́к superlight сверхлёгкий
у-	away	departure ухо́д to lead away уводи́ть

Текст (Text)

Read and translate.

Поня́тие «культу́ра» обнима́ет собо́й как материа́льную, так и духо́вную сто́роны жи́зни люде́й. К пе́рвой отно́сится всё, что со́здано сами́м челове́ком, его́ трудо́м: города́, зда́ния, вся разнообра́зная окружа́ющая нас те́хника, пути́ и сре́дства сообще́ния и т.д.; ко второ́й — нау́ка, иску́сство в его́ разнообра́зных проявле́ниях, госуда́рственный и обще́ственный строй, рели́гия, кла́ссовые отноше́ния и т.д.

У́ровень культу́ры у ра́зных наро́дов неодина́ков и зави́сит от са́мых разнообра́зных причи́н: дре́вности существова́ния той и́ли ино́й наро́дной гру́ппы, её исто́рии, приро́дных усло́вий страны́, обще́ственного стро́я. Веду́щее ме́сто в культу́ре Сове́тского Сою́за занима́ет ру́сский наро́д. Со́зданная им ру́сская национа́льная культу́ра по пра́ву занима́ет одно́ из пе́рвых мест среди́ культу́р други́х европе́йских наро́дов. Замеча́тельно бога́тый язы́к, литерату́ра, нау́ка, иску́сство давно́ получи́ли всео́бщее призна́ние как ценне́йший вклад в о́бщую культу́ру всего́ челове́чества. Имена́ выдаю́щихся ру́сских учёных, писа́телей, компози́торов по́льзуются мирово́й изве́стностью и составля́ют сла́ву и го́рдость на́шей страны́.

— С. В. Чефра́нов, **Физи́ческая геогра́фия СССР**, стр. 48.

Упражне́ния (Exercises)

A. *Dictionary practice*

a. Read and translate.

КАПИТАЛИ́ЗМ — обще́ственный строй, при кото́ром подавля́ющая ма́сса средств произво́дства нахо́дится в со́бственности немно́гих лиц — капитали́стов и́ли объедине́ний капитали́стов, в то вре́мя как большинство́ трудя́щихся лишено́ средств произво́дства и поэ́тому вы́нуждено продава́ть свою́ рабо́чую си́лу, кото́рую капитали́сты эксплуати́руют и извлека́ют для себя́ при́быль. Капитали́зм — после́дняя обще́ственно-экономи́ческая форма́ция, осно́ванная на эксплуата́ции челове́ка челове́ком (См. Капиталисти́ческий спо́соб произво́дства, Капита́л, Основно́й экономи́ческий зако́н капитали́зма, Империали́зм).

— Кра́ткий экономи́ческий слова́рь (Москва́, 1958)

b. Identify all the *participial* forms in the passage above.

c. Read and translate.

Вопро́сы об удовлетворе́нии усло́виям на грани́цах дви́жущихся тел, а та́кже те усло́вия, кото́рые даёт для э́тих грани́ц тео́рия тепла́, остава́лись соверше́нно неиссле́дованными до появле́ния мемуа́ра Фурье́ в нача́ле 1812 г. Зате́м, в 1815 г., Пуассо́н, зна́я* уже́ рабо́ты Фурье́, предста́вил в Институ́т мемуа́р о распростране́нии тепла́ в твёрдых тела́х, а зате́м напеча́тал два мемуа́ра об э́том предме́те в 19-й тетра́ди журна́ла Политехни́ческой шко́лы.

Ме́тод, кото́рый он здесь даёт, отно́сится то́лько к уравне́ниям, содержа́щим, кро́ме вре́мени, одну́ переме́нную незави́симую.

Зате́м появи́лись снача́ла « Théorie analytique de la chaleur » Фурье́, зате́м « Théorie mathématique de la chaleur » Пуассо́на.

В после́днем сочине́нии Пуассо́н уже́ не употребля́ет того́ ме́тода, кото́рый он изложи́л в 19-й тетра́ди журна́ла Политехни́ческой шко́лы, но применя́ет друго́й ме́тод, при кото́ром вычисле́ние не́сколько про́ще, но у кото́рого зато́ есть и† свои́ недоста́тки.

При изуче́нии ме́тодов, относя́щихся к интегри́рованию при за́данных усло́виях на грани́цах, прихо́дится ограни́читься поэ́тому те́ми ча́стными слу́чаями, кото́рые до сих пор рассмо́трены, и са́мые э́ти ме́тоды рассма́тривать как сре́дство для нахожде́ния тре́буемого реше́ния, кото́рое в ка́ждом слу́чае сле́дует стро́го доказа́ть.

Мы начнём изложе́ние э́тих ме́тодов с класси́ческого приме́ра, и́менно с уравне́ния колеба́ния струны́ или продо́льных колеба́ний прута́. (См. О не́которых дифференциа́льных уравне́ниях математи́ческой фи́зики, име́ющих приложе́ние в реше́нии техни́ческих вопро́сов, стр. 12).

B. Put each word in parentheses in the correct number and case (to agree with the past passive participle) and translate:

* зна́я knowing (*verbal adverb*, a form explained in the next lesson).
† и is often used simply for emphasis and is not translated.

1. Вы зна́ете (ме́тод), опи́санные э́тим учёным? 2. Все мо́гут чита́ть об (о́пыт), произведённых англича́нами в декабре́. 3. В э́той кни́ге есть мно́го (уравне́ние), решённых Лобаче́вским. 4. Госуда́рственные де́ятели из мно́гих стран говори́ли о междунаро́дных (пробле́ма), со́зданных борьбо́й ме́жду СССР и Герма́нией. 5. Посмо́трим (теоре́ма), дока́занные в кни́ге э́того учёного. 6. Кри́тик взял (кни́га), напи́санную молоды́м писа́телем из Сан Франци́ско и положи́л ее в ого́нь. 7. Хи́мик сам не ве́рил (результа́т), полу́ченным его́ но́вым ме́тодом. 8. Президе́нт говори́л с (лю́ди), и́збранными кандида́тами республика́нской па́ртией. 9. Кто из вас чита́л (ру́копись), на́йденную в буты́лке? 10. Несмотря́ на (изве́стие), да́нные в газе́тах, поли́ция следи́ла за жено́й знамени́того обще́ственного де́ятеля.

C. To review the four types of Russian participles, match clauses in column *a* with clauses in column *b* to produce grammatically correct and meaningful Russian sentences. Translate your results.

a	*b*
1. Отве́т на ваш вопро́с не мо́жет быть	1. принима́вших уча́стие в мятеже́.
2. Исто́рик объясни́л нам тео́рию	2. ещё не нагре́та.
3. Мы мно́го зна́ем о дре́вней Росси́и по ру́кописям,	3. производи́мых в настоя́щее вре́мя сове́тскими учёными.
4. Мне сказа́ли, что вода́ в ко́лбе	4. создава́емом коммуни́стами в Тибе́те.
5. В той же са́мой кни́ге вы найдёте имена́ госуда́рственных де́ятелей,	5. на́йден в э́той кни́ге.
6. В газе́тах пи́шут об о́пытах,	6. на́йденным исто́риками в ста́ром го́роде.
7. Мы ма́ло зна́ем о но́вом обще́ственном стро́е,	7. относя́щуюся к ру́сской дре́вности.
8. Мно́го уже́ говори́лось о ро́ли ру́сского наро́да,	8. пи́шущих о собы́тиях в Сове́тском Сою́зе.
9. Никто́ не мог поня́ть вопро́сов,	9. занима́вшего веду́щее ме́сто в борьбе́ про́тив Ги́тлера.
10. Хрущёв критику́ет писа́телей,	10. соста́вленных профе́ссором Успе́нским.

Пятна́дцатый Уро́к

FIFTEENTH LESSON

Слова́рь (Vocabulary)

беспоко́ить (побеспоко́ить)	to disturb	отли́чный	excellent
беспоко́йство	disturbance, trouble	печа́тать (напеча́тать)	to print
во́ля	will, freedom	по́весть (f.)	short novel
допуска́ть (допусти́ть)	to permit, to allow	прекра́сный	excellent
запреща́ть (запрети́ть)	to forbid, to prohibit	прия́тный	pleasant
извиня́ть (извини́ть)	to excuse	проси́ть (попроси́ть)	to request, to beg
исключи́тельный	exclusive	проща́ть (прости́ть)	to forgive
кра́йний	extreme	раз	time (*occasion*)
кре́пкий	firm, strong	свида́ние	meeting, rendezvous
ме́ра	measure	связь (f.)	connection, tie
недоразуме́ние	misunderstanding	свя́зывать (связа́ть)	to connect, to join
оби́дный	offensive, insulting	сохраня́ться (сохрани́ться)	to be preserved, to be kept, to be saved
обижа́ть (оби́деть)	to offend	сочине́ние	work, composition
обраща́ть (обрати́ть)	to turn, to direct, to transform	тут	here
		уже́	already
		член	member
остально́й	remaining	что́бы	in order to, that

Associated Words

за́работок	earnings	необходи́мый	necessary, indispensable
заче́м	why, for what		
изда́тельство	publishing house	переводи́ть (перевести́)	to translate
мир	world, peace		

131

молодёжь (*f.*)	young people, youth	рассказ	short story
мысль (*f.*)	thought, idea	скончаться	(*pf. only*) to die
неизвестный	unknown	собрание	collection, meeting
немецкий	German (*adj.*)		

Loan Words

адрес	address	публиковать (опубликовать)	to publish
архив	archives		
газолин	gasoline	техник	technician, craftsman
документ	document		
классический	classical	том	volume, tome
Крым	Crimea	факт	fact

Expressions for Memorization

в связи с (+ *instr.*)	in connection with
по отношению к (+ *dat.*)	with reference to, with regard to
переводить на (+ *acc.*)	to translate into
за последнее время	recently, lately
до свидания	goodbye
по мере того как	in proportion to, as
по крайней мере	at least

Было какое-то недоразумение **в связи с** этим письмом.
There was some sort of misunderstanding in connection with this letter.

Как она себя ведёт **по отношению к нему**?
How does she conduct herself with regard to him?

Пастернак **перевёл** несколько пьес Шекспира **на** русский язык.
Pasternak translated several of Shakespeare's plays into Russian.

За последнее время напечатали несколько рассказов молодого автора.
Recently they have printed several of the young author's short stories.

— **До свидания**, товарищи — сказал директор.
"Goodbye, comrades," said the director.

По мере того как отношения между нашими странами становились лучше, в советские университеты допускали всё больше и больше американских студентов.
As the relations between our countries became better, more and more American students were admitted into Soviet universities.

Это следует сделать **по крайней мере** два раза.
This must be done at least two times.

Грамма́тика (Grammar)

15-A. Verbal Adverbs

Verbal adverbs (*gerunds*) may be present or past and they are *not declined*.

1. *Present verbal adverb.*

a. Formation. The present verbal adverb is formed by dropping **-ют, -ут, -ят, -ат** from the *third person plural* of *imperfective* verbs and adding **-я** (**-а**, if the stem ends in **ж, ч, ш, щ**).

INFINITIVE	THIRD PERSON PLURAL	VERBAL ADVERB	
говори́ть	говоря́т	говоря́	speaking
испо́льзовать	испо́льзуют	испо́льзуя	using
знать	зна́ют	зна́я	knowing
обознача́ть	обознача́ют	обознача́я	denoting
лежа́ть	лежа́т	лёжа	lying
извиня́ть	извиня́ют	извиня́я	excusing
проси́ть	про́сят	прося́	requesting

b. Use of the present verbal adverb. This is used for action co-terminous with the action of the main verb (which may be past, present, or future).

Зна́я атóмный вес кáлия, мы мóжем реши́ть уравнéние.	Knowing the atomic weight of potassium, we can solve the equation.

Note: This means approximately the same as: Так как мы зна́ем атóмный вес кáлия, мы мóжем реши́ть уравнéние.

Study the following examples:

Сам ничегó не **де́лая**, дире́ктор óчень не люби́л, когдá други́е не рабóтали.	While doing nothing himself, the director was very displeased when others did not work.
Стóя óколо двéри, Ковалёв мог слы́шать кáждое слóво.	Standing near the door, Kovalev could hear every word.
Рабóтая в гóспитале, Сергéй зарабáтывал óчень мáло.	Working in the hospital, Sergei earned very little.

2. *Past verbal adverb.*

a. Formation. The past verbal adverb is usually formed by removing the **-л** from the *masculine past* of the verb and adding **-в** or **-вши.**

INFINITIVE	MASCULINE PAST	PAST VERBAL ADVERB	
сказа́ть	сказа́л	сказа́в(ши)	having said
ко́нчить	ко́нчил	ко́нчив(ши)	having finished

The past verbal adverbs of reflexive verbs are formed by dropping **-лся** from the masculine past and adding **-вшись**.

INFINITIVE	MASCULINE PAST	PAST VERBAL ADVERB	
познако́миться	познако́мился	познако́мившись	having become acquainted

A handful of verbs form their *past* verbal adverb by adding **-я** or **-a** to the stem of the future of perfective verbs.

INFINITIVE	FUTURE STEM	PAST VERBAL ADVERB	
принести́	принес-	принеся́	having brought
придти́	прид-	придя́	having come

b. Use of the past verbal adverb. This is used for action *antedating* the action of the main verb (which may be past, present, or future).

Ко́нчив трина́дцатый уро́к, студе́нт пошёл в теа́тр.	*Having finished* the thirteenth lesson, the student went to the theater.
Переведя́ ''Га́млет'' на ру́сский язы́к, Пастерна́к на́чал рабо́тать над но́вым рома́ном.	*Having translated* ''Hamlet'' into Russian, Pasternak began to work on a new novel.

15-B. The Conditional Mood

1. To express conditions ''contrary to fact,'' the particle **бы** (or **б**) and the *past tense* of the verb are used. Note that **е́сли бы** may be written **е́слиб**.

Е́сли бы он знал неме́цкий язы́к, мы **могли́ бы** говори́ть с ним по-неме́цки.	If he knew German, we could speak with him in German.

Note: This sentence could also be translated: ''If he *had known* German, we could *have spoken* with him in German.'' For accurate translation of such sentences, one must refer to the context in which they appear.

Если бы он запретил мне стать членом комитета, я **бы** крайне **обиделся**.

If he had forbidden me to become a member of the committee, I would have been extremely offended. *Or:* If he *forbade* me to become a member of the committee, I *should be* extremely offended.

Note: The particle **бы** may follow any word to give that word more emphasis; **бы** is never the first word of a sentence.

2. However, if the condition is capable of fulfilment, the *indicative* tenses (*past, present,* and *future*) are used.

Если он **знает** русский язык, мы можем с ним говорить по-русски.

If he knows Russian, we can speak with him in Russian.

Если напечатают мою повесть, я стану богатым.

If my short novel is printed, I shall become rich.

3. In "if" clauses, the use of **если** *plus the infinitive* is very common.

Если верить этому сообщению, мятежники все бежали.

If one is to believe this communication, the rebels have all fled.

Если ему **написать**, он придёт.

If (we) write to him, he will come.

Если принять x за атомный вес элемента, y будет 2,35.

If one takes x as the atomic weight of the element, y will be 2.35.

15-C. The Subjunctive Mood

1. After certain clauses connoting purpose, command, desire, fear, the subjunctive is expressed by the conjunction **чтобы** (**чтоб**) and a subordinate clause in the *past tense*. If the subject of both clauses is the same, the *infinitive* is used in the subordinate clause.

Я это объясню, **чтобы** не было недоразумения.

I shall explain this, so that there will be no misunderstanding.

Горький хотел, **чтобы** сочинения этого замечательного автора были напечатаны.

Gorky wanted the works of this remarkable author to be printed.

Я хочу́, **что́бы** вы чита́ли ме́дленно.	I want you to read slowly.
Он мне дал кни́гу, **что́бы** я её чита́л.	He gave me the book *so that* I would read it.
Мы пое́хали в СССР, **что́бы** научи́ться ру́сскому языку́.	We went to the U.S.S.R. *in order to* study Russian.

2. The subjunctive is also used in clauses involving *whoever, whatever, whenever, wherever.* These words are rendered by interrogative pronouns, adjectives, or adverbs followed by **бы** and the particle **ни**. Note that **ни** does not convey a negative meaning here.

Кто бы э́тот челове́к **ни** был, я его́ никогда́ не встреча́л.	Whoever this person is (*or* may have been *or* may be), I never met him.
Что бы Ива́н **ни** сказа́л, он всегда́ всех обижа́ет.	Whatever John says, he always offends everyone.
Каки́м бы аппара́том он **ни** по́льзовался, он не мог преврати́ть во́ду в газоли́н.	Whatever apparatus he used, he was unable to transform water into gasoline.

15-D. Reciprocal Pronouns

1. *One another* is rendered by **друг дру́га.** Only the second **друг** is declined.

Вы зна́ете **друг дру́га?**	Do you know one another?
Леони́д и Та́ня ду́мали **друг о дру́ге.**	Leonid and Tanya thought about each other.
Учёные всего́ ми́ра зави́сят **друг от дру́га.**	Scientists of the whole world depend upon one another.
Результа́ты пе́рвого о́пыта и второ́го о́пыта не свя́заны **друг с дру́гом.**	The results of the first experiment and those of the second are not connected with each other.

15-E. Declension of Surnames

1. Russian surnames are *declined.* It is important that the reader be able to reconstruct the *nominative form* in order to identify correctly the person mentioned.

2. Surnames that have adjectival endings are declined as adjectives.

	MR.	MRS. *or* MISS	THE DOSTOEVSKYS
nom.	Достоéвский	Достоéвская	Достоéвские
gen.	Достоéвского	Достоéвской	Достоéвских
dat.	Достоéвскому	Достоéвской	Достоéвским
acc.	Достоéвского	Достоéвскую	Достоéвских
instr.	Достоéвским	Достоéвской	Достоéвскими
prep.	Достоéвском	Достоéвской	Достоéвских

Эта мáленькая кнúга былá напúсана **Достоéвской** о мýже.

This small book was written by Mrs. Dostoevsky about her husband.

Тургéнев чáсто встречáлся с **Достоéвским** когдá онú бýли в Еврóпе.

Turgenev often met Dostoevsky when they were in Europe.

3. Surnames ending in **-ов, -ев, -ин, -ын** in the masculine, end in **-ова, -ева, -ина, -ына** in the feminine and in **-овы, -евы, -ины, ыны** in the plural. They are actually relative (or possessive) adjectives and are declined as follows:

	MR.	MRS. *or* MISS	THE IVANOVS
nom.	Ивáнов	Ивáнова	Ивáновы
gen.	Ивáнова	Ивáновой	Ивáновых
dat.	Ивáнову	Ивáновой	Ивáновым
acc.	Ивáнова	Ивáнову (!)	Ивáновых
instr.	Ивáновым (!)	Ивáновой	Ивáновыми
prep.	Ивáнове	Ивáновой	Ивáновых

Исслéдование бýло произведенó **Ивáновой** в лаборатóрии ϶того институ́та.

The research was carried out by (Mrs.—Miss) Ivanov in the laboratory of this institute.

Мы бýдем читáть нéсколько ромáнов **Тургéнева** и **Толстóго**

We shall read several novels of Turgenev and Tolstoy.

15-F. Collective Numerals

The collective numerals **двóе** (2), **трóе** (3), **чéтверо** (4), **пя́теро** (5), **шéстеро** (6), **сéмеро** (7) and others are sometimes employed with *animate masculine nouns* or with *personal pronouns*. One also sees them used with the word **дéти** *children*. When in the nominative or accusative, these collective numerals are used with the *genitive plural*.

У меня́ **чéтверо детéй**.

I have four children.

Их бýло **трóе**.

There were three of them.

Once acquainted with the existence of collective numerals and their nominative and accusative forms, the student should have little difficulty in recognizing them in other cases.

Вам **четверы́м** я расскажу́ о своём пла́не.	I will tell *the four* of you about my plan.

Текст (Text)

Read and translate.

ПИСЬМО́ А. М. ГО́РЬКОГО А. Б. ХАЛА́ТОВУ

В архи́ве чле́на редколле́гии[1] журна́ла «Кра́сная Новь»[2] В. Н. Василе́вского (сконча́лся в 1957— году́) сохрани́лось мно́го интере́сных докуме́нтов, свя́занных с исто́рией сове́тской литерату́ры. Мы публику́ем неизве́стное письмо́ А. М. Го́рького к А. Б. Хала́тову.

Дорого́й Арте́мий Багра́тович!

Извини́те, что сно́ва беспоко́ю Вас. Необходи́мо обрати́ть Ва́ше внима́ние на глубо́кую несправедли́вость,[3] допуска́емую ке́м-то по отноше́нию к прекра́сному писа́телю Серге́еву-Це́нскому.

Его́ по́вести, его́ рома́н печа́таются в «Но́вом Ми́ре», расска́з в «Кра́сной Ни́ве»,[4] рома́н «Во́ля» и́здан Госизда́том.[5] Он превосхо́дный[6] те́хник, и литерату́рная молодёжь должна́ учи́ться по его́ кни́гам.

Но вот изда́тельство «Мысль» хоте́ло изда́ть собра́ние его́ сочине́ний, изда́ло уже́ оди́н том, а остальны́е кто́-то запрети́л издава́ть. Почему́?

Если э́то — нача́ло борьбы́ с «ча́стником»[7] и Госизда́т сам хо́чет изда́ть це́нные кни́ги — я понима́ю. Но — так ли? Нет ли тут недоразуме́ния, кра́йне оби́дного для а́втора?

И, зате́м, как все писа́тели, он живёт исключи́тельно на свой литерату́рный за́работок. Заче́м обижа́ть поле́зного и це́нного челове́ка, кото́рый уже́ почти́ 25 лет рабо́тает, переведён на европе́йские языки́?

---

[1] **редколле́гия (редакцио́нная колле́гия)** editorial board

[2] **«Кра́сная Новь»** ''Red Virgin Soil,'' a Soviet literary periodical

[3] **несправедли́вость** injustice

[4] **«Кра́сная Ни́ва»** ''Red Field,'' a Soviet literary periodical

[5] **Госизда́т (Госуда́рственное Изда́тельство)** State Publishing House

[6] **превосхо́дный** superior, topnotch

[7] **ча́стник** *owner of private business* or *shop*. This letter was written on the eve of Stalin's first Five-year Plan, which wiped out the independent businessmen who had come into existence during the N.E.P. period (1922–1928).

Óчень прошу́ Вас, А. Б., обрати́те внима́ние на э́тот факт. Бы́ло бы кра́йне прия́тно ви́деть Це́нского напеча́танным в Госизда́те так отли́чно, как напеча́тается Ма́мин-Сибиря́к, наприме́р.

Áдрес Серге́ева-Це́нского: Крым, Алу́шта.

Прости́те за беспоко́йство.

До свида́ния. Кре́пко жму[8] ру́ку.

А. Пешко́в[9]

30.XII.27г.

Сорренто

Упражне́ния (Exercises)

A. *Dictionary practice*

ПОЧЕМУ ВРЕ́ДНО КУРИ́ТЬ*

Куре́ние табака́ — широко́ распространённая вре́дная привы́чка. Так же как и алкого́ль, таба́к разруша́ет здоро́вье, понижа́ет работоспосо́бность, сокраща́ет жизнь. Что́бы вести́ борьбу́ с о́чень распространённым потребле́нием табака́, ка́ждый культу́рный челове́к до́лжен знать, в чём заключа́ется вред куре́ния и что ну́жно де́лать для того́, что́бы бро́сить кури́ть. На́до та́кже знать причи́ны распростране́ния куре́ния и исто́ки оши́бочных взгля́дов на я́кобы поле́зные сво́йства табака́, что́бы на основа́нии то́чно устано́вленных нау́кой фа́ктов вести́ широ́кую пропага́нду за прекраще́ние куре́ния, за усиле́ние обще́ственной борьбы́ с э́тим злом.

B. Match the phrases or clauses in column *a* with those in column *b* to obtain correct and meaningful Russian sentences. Translate the sentences.

a	*b*
1. Обрати́в внима́ние студе́нтов на оши́бки в те́ксте,	1. Фёдор пое́хал рабо́тать в Ташке́нте.
2. Допусти́в таки́е оши́бки,	2. профе́ссор закры́л кни́гу.
3. Печа́таясь в ра́зных журна́лах,	3. мы понима́ем значе́ние глубо́кого зна́ния хими́ческих проце́ссов.

---

[8] **жму** first person singular of **жать** *to press*

[9] Maxim Gorky was the pseudonym of A. M. Peshkov (1868–1936)

* До́ктор медици́нских нау́к К. С. Косяко́в, **Почему́ вре́дно кури́ть**.

4. Изда́в но́вое собра́ние сочине́ний Толсто́го,

5. Прося́ жену́ извини́ть его́,

6. Уча́сь по кни́гам Ка́рла Ма́ркса,

7. Производя́ таки́е о́пыты в лаборато́рии,

8. Не найдя́ рабо́ты в Москве́,

9. Прожи́в сто́лько лет в Аля́ске,

10. Оби́дев генера́ла,

4. дире́ктор получи́л плоху́ю репута́цию.

5. Госизда́т гото́вит собра́ние расска́зов Го́рького.

6. она́ нахо́дит, что зима́ здесь не о́чень холо́дная.

7. муж ей объясни́л, что това́рищи попроси́ли его́ пить во́дку.

8. бе́дный солда́т всю ночь не мог спать.

9. мы получа́ем коммунисти́ческое представле́ние об исто́рии.

10. э́ти по́вести и расска́зы де́лают а́втора знамени́тым челове́ком.

C. Fill in the blanks with **е́сли бы** or **е́сли**, as required by the meaning of each sentence, and translate the completed sentence.

1. «Бы́ло бы прекра́сно, _____ студе́нты могли́ сообща́ть друг дру́гу отве́ты на экза́менах»,* — ду́мал Оле́г, смотря́ на тру́дные вопро́сы. 2. Что де́лать _____ муж и жена́ не понима́ют друг дру́га? 3. Что бы Достое́вский поду́мал, _____ он уви́дел америка́нский фильм† «The Brothers Karamazov»? 4. _____ мы говори́ли друг с дру́гом то́лько по-ру́сски, э́тот язы́к станови́лся бы всё ле́гче и ле́гче для нас. 5. «_____ вы бу́дете обраща́ть бо́льше внима́ния на грамма́тику, вам не бу́дет так тру́дно», сказа́л профе́ссор. 6. _____ мы могли́ пове́рить э́тому сообще́нию, мы бы уе́хали во Владивосто́к. 7. _____ Фетуко́ва не беспоко́ила нас так ча́сто, мы бы не перевели́ её рома́на на англи́йский язы́к.

D. Complete each sentence with the appropriate word or words from the following list and translate the completed sentences.
чле́ны редколле́гии, э́тот студе́нт, прави́тельство, жена́ дире́ктора, Го́рький, президе́нт, большу́ю ко́лбу, ма́ленький профе́ссор

1. _____ хо́чет, что́бы большинство́ гра́ждан принадлежа́ло к его́ па́ртии. 2. _____ хоте́л, что́бы Серге́ев-Це́нский мог

---

* **экза́мен** examination.
† **фильм** motion picture, film.

жить на свой литературный заработок. 3. «Я буду читать медленно, чтобы вы могли понять каждое слово», сказал _____. 4. Скажите, чтобы мне принесли _____. 5. С кем бы ни говорила _____, никто не знал, где её муж. 6. В каком бы университете он ни учился, _____ отлично работал. 7. _____ решило, чтобы первого января все банки были закрыты. 8. Необходимо, чтобы _____ обратили внимание на слова известного писателя.

E. *Review of Participles.* Translate the following passages, which have been taken from contemporary Soviet sources. Identify all participial forms (present or past, active or passive). Note that some sentences contain several participial forms.

1. Отдельные писатели проявили непонимание новых процессов, происходящих в нашей жизни.

2. Какие неисчерпаемые возможности для преодоления трудностей и достижения выдающихся успехов заложены в социалистической системе хозяйства!

3. Отжившее, старое надо ломать!

4. Люди, оторвавшиеся от жизни, от интересов народа, способны нанести непоправимый ущерб интересам народа.

5. План разработан с учётом достигнутого нами высокого уровня общественного производства.

6. Наша страна идёт по указанному Лениным пути.

7. Мы готовим молодых специалистов, хорошо владеющих современными научными знаниями и умеющих приложить их к практике на благо народа.

8. Почему советские книготоргующие организации устанавливают заниженные тиражи учебников?

9. Июньский пленум Центрального Комитета разоблачил и идейно разгромил антипартийную группу Маленкова, Кагановича, Молотова и примкнувшего к ним Шепилова, выступавших против ленинского курса, намеченного XX съездом партии.

10. Наши писатели и художники должны преодолеть устаревшие представления о наших людях.

11. Вместе с тем в работе были использованы недостаточно надёжные данные для определения числовых параметров в предлагаемых схемах (критическое число Ричардсона на основе данных Свердрупа было ошибочно принято равным 1/11), что сделало невозможным непосредственное использование полученных в этой работе формул для практических расчётов.

Шестна́дцатый Уро́к

SIXTEENTH LESSON

Слова́рь (Vocabulary)

бу́ква	letter (*alphabet*)	не́который	a certain, some
величина́	value, quantity, size	о́зеро	lake
		очеви́дный	evident, obvious
выраже́ние	expression	пове́рхность (*f.*)	surface
де́йствовать (поде́йствовать)	to act, to work	подо́бный	like, similar
длина́	length	предполага́ть (предположи́ть)	to suppose, to propose
есте́ственный	natural	простра́нство	space
же	and, but (*or for emphasis*)	прямо́й	straight
крива́я (*noun*)	curve	рису́нок (рис.)	figure (Fig.)
криво́й	curved	сра́зу	at once
Луна́	Moon	те́ло	body
любо́й	any (you like), whichever	тогда́	then, at that time
		то́чка	point
наоборо́т	on the contrary	то́чность (*f.*)	accuracy, exactness
небе́сный	celestial	число́	number

Associated Words

вокру́г (+ *gen.*)	around	постоя́нный	constant
всеми́рный	universal	прира́внивать (приравня́ть)	to equate, to equalize
высота́	height		
вышина́	height	противополо́жный	opposite
глубина́	depth		
движе́ние	movement, motion	равнове́сие	equilibrium
		ра́вный	equal
запи́сываться (записа́ться)	to note down	рассма́тривать (рассмотре́ть)	to examine, to inspect

земно́й	terrestrial, earth	расстоя́ние	distance
иску́сственный	artificial	снача́ла	at first, to begin with
ита́к	consequently, and so	сообща́ть (сообщи́ть)	to communicate
кругово́й	circular	стро́ить (постро́ить)	to construct, to build
межпланéтный	'interplanetary		
направлéние	direction	улета́ть (улетéть)	to fly away
означа́ть (озна́чить)	to denote, designate	управля́ть (упра́вить)	to direct, to manage
окру́жность (*f.*)	circumference	ширина́	width
отвеча́ть (отве́тить)	to answer		
отку́да	whence		

Loan Words

горизонта́льный	horizontal	табли́ца	table
ио́н	ion	танк	tank
метр	meter	траекто́рия	trajectory
орби́та	orbit	фо́рма	form
периоди́ческий	periodic	фронт	front
ра́диус	radius	фут	foot
структу́ра	structure	экза́мен	examination

Expressions for Memorization

представля́ть себе́	to imagine
в то́чности	exactly
ни . . . ни . . .	neither . . . nor . . .
своди́ться к (+ *dat.*)	to be reduced to, to come down to
в су́щности	in essence, actually
поско́льку . . . (посто́льку . . .)	inasmuch as . . .

« Тру́дно **предста́вить себе́** жизнь без музе́ев », сказа́л ста́рый акадéмик.
"It's hard to imagine life without museums," said the old academician.

В Пари́же никто́ не знал **в то́чности**, где фронт.
In Paris no one knew exactly where the front was.

Ни Э́дисон, **ни** Эйнштéйн не ви́дели но́вого небéсного тéла, постро́енного человéком — иску́сственного спу́тника земли́.
Neither Edison nor Einstein saw the new heavenly body made by man—the artificial earth satellite.

Все э́ти уравнéния **сво́дятся к** слéдующей просто́й фо́рмуле: $a + b = c$
All these equations come down to the following simple formula: $a + b = c$

В су́щности, э́то два ви́да того́ же са́мого элемéнта.
Actually these are two forms of the same element.

Поско́льку Трофи́мов не пока́зывал мне свое́й рабо́ты, (посто́льку) я за неё не отвеча́ю.

Inasmuch as Trofimov did not show me his work, I am not responsible (*lit.* do not answer) for it.

Грамма́тика (Grammar)

16-A. То, что: *that, which, what*

This linking element is widely used and appears in a variety of forms, depending on the case required for either of the members in its own clause.

То, что он чита́ет, не интере́сно.	That which he is reading is not interesting.
Он не знал **того́, что** ему́ на́до бы́ло знать.	He didn't know what he should have known.
Мы не ве́рили **тому́, что** он нам сказа́л.	We didn't believe what he told us.
Он всегда́ конча́ет **то, что** он начина́ет.	He always finishes what he begins.
Он ча́сто по́льзовался **тем, что** он находи́л на столе́.	He often used what he found on the table.
Де́ло в **том, что** он стар.	The fact of the matter is that he is old.
Он писа́л мне о **том, что** вы ра́ньше мне написа́ли.	He wrote to me about that which you had written me earlier.
Я говорю́ о **том, чем** вы по́льзовались для о́пыта.	I'm talking about what you used for the experiment.

16-B. Measurements

The words for *length* (**длина́**), *width* (**ширина́**), *height* (**вышина́**), and *depth* (**глубина́**) are used in the *instrumental* when indicating measurement in units.

Пол ширино́й в де́сять фу́тов.	A floor ten feet wide (*lit.* a floor with a width to ten feet).
Но́вый автомоби́ль **длино́й** в два́дцать фу́тов.	A new automobile twenty feet long.
О́зеро **глубино́й** в две́сти фу́тов.	A lake two hundred feet deep.
Зда́ние **вышино́й** в две́сти ме́тров.	A building two hundred meters high.

Note: This formula is *not* changed if the object described is in an oblique case.

Мы летéли над óзером дли-нóй в шестьсóт миль.	We were flying over a lake six hundred miles long.

16-C. Adjectives Used as Nouns

The following adjectives often function as nouns. They are, of course, declined as adjectives. Each reader should learn to recognize those words in this list which he is likely to encounter when reading within his own discipline.

больнóй	a sick person, patient
вселéнная	the universe
дáнные	data (Note that it is plural.)
касáтельная (лѝния)	a tangent
крáтное (числó)	a multiple
кривáя (лѝния)	a curve
постоя́нная (величинá)	a constant
прямáя (лѝния)	a straight line
рабóчий	a worker
рýсский	a Russian
слýжащий	an employee
учёный	a scholar, scientist
цéлое (числó)	an integer

Examples:

Скóлько **рабóчих** на э́той фáбрике?	How many workers are there at this factory?
Математик провёл **прямýю** от тóчки А до тóчки Б.	The mathematician drew a straight line from point *A* to point *B*.
Когдá увѝдят нóвое небéсное тéло в нáшей **вселéнной**?	When will they see a new celestial body in our universe?

16-D. По Meaning *each*

The preposition **по** is used, as demonstrated by the following examples, to render the meaning of *each* or *apiece*.

Профéссор нам дал **по** две кнѝги.	The professor gave us two books each.
У них **по** девятѝ студéнтов.	They have nine students each.

Капиталист дал каждому служащему **по** пяти долларов.

The capitalist gave the employees five dollars apiece (*lit.* gave each worker five dollars).

16-E. Subordinate Clauses Introduced by Temporal Expressions

These can cause difficulty to the reader if he attempts too literal a translation. The most widely used constructions are:

перед тем, как — before (*immediately before*)
до того, как — before
после того как — after
как только — as soon as
до тех пор, пока . . . не — until (*Note:* In this construction the **не** has no negative meaning.)
раньше чем — before

Перед тем, как вы уйдёте, закройте дверь.

Before you leave, close the door.

Я всё сделал **до того**, **как** он пришёл.

I did everything before he arrived.

Менделеев стал одним из самых знаменитых учёных мира **после того как** он открыл периодический закон химических элементов.

Mendeleev became one of the world's most famous scientists after he discovered the periodic law of chemical elements.

Как только первый советский танк был построен, направили его на фронт.

As soon as the first Soviet tank was built, it was sent to the front.

Он никогда не поймёт химии **до тех пор, пока** он сам **не** произведёт опытов.

He will never understand chemistry until he himself conducts experiments.

Note the use of the *infinitive* in similar constructions:

Раньше чем говорить о мире, мы должны установить дружественные отношения.

Before speaking about peace, we must establish friendly relations.

Надо хорошо учиться химии **до того, как** производить такие опыты.

One must study chemistry well before conducting such experiments.

Пе́ред тем, как объясни́ть тео́рию, я хочу́ сказа́ть не́сколько слов о ва́шей рабо́те.	Before explaining the theory, I want to say a few words about your work.

Текст (Text)

Read and translate.

The following text is presented with full knowledge that the subject matter is specialized. However, much of the vocabulary is applicable to a wider range of subjects, and the grammatical niceties are of general interest.

ИСКУ́ССТВЕННЫЕ СПУ́ТНИКИ ЗЕМЛИ́

Иску́сственный спу́тник Земли́ есть постро́енное челове́ком но́вое небе́сное те́ло, дви́жущееся вокру́г Земли́ подо́бно её есте́ственному спу́тнику — Луне́.

Зако́ны, управля́ющие движе́нием иску́сственного спу́тника, о́чень просты́.

Изве́стно, что на любо́е небе́сное те́ло (в том числе́ и на иску́сственный спу́тник), дви́жущееся по не́которой криво́й траекто́рии, де́йствуют две си́лы: си́ла всеми́рного тяготе́ния[1] (по зако́ну Нью́то́на) и центробе́жная[2] си́ла. Изве́стно та́кже, что величина́ си́лы всеми́рного тяготе́ния зави́сит от масс притя́гивающихся[3] тел (в на́шем слу́чае — Земли́ и иску́сственного спу́тника) и расстоя́ния ме́жду их це́нтрами. Зако́н Нью́то́на запи́сывается в ви́де фо́рмулы

$$F_{\text{т}} = \frac{GMm}{a^2} \qquad (1)$$

В э́той фо́рмуле разли́чные бу́квы име́ют сле́дующие значе́ния: $F_{\text{т}}$—си́ла всеми́рного тяготе́ния, G—постоя́нная тяготе́ния Нью́то́на, M—ма́сса Земли́, m—ма́сса спу́тника, a—расстоя́ние ме́жду спу́тником и це́нтром Земли́.

Рассмо́трим тепе́рь другу́ю си́лу, де́йствующую на иску́сственный спу́тник Земли́, — центробе́жную си́лу. Э́та си́ла зави́сит от ско́рости те́ла и фо́рмы траекто́рии. Предполо́жим снача́ла, что спу́тник дви́жется по окру́жности с це́нтром в це́нтре Земли́. Тогда́ центробе́жная си́ла $F_{\text{ц}}$ равна́

$$F_{\text{ц}} = \frac{mv^2}{a} \qquad (2)$$

---

[1] **тяготе́ние** gravity

[2] **центробе́жный** centrifugal

[3] **притя́гивающийся (притя́гивать—притяну́ть)** to attract

где *m* и *a* означа́ют то же, что и ра́ньше, а *v*—ско́рость спу́тника.
Тепе́рь мы зна́ем величи́ны сил, де́йствующих на спу́тника.
Как же они́ напра́влены? Си́ла всеми́рного тяготе́ния напра́-
влена к Земле́, центробе́жная си́ла напра́влена, наоборо́т, пря́мо
от Земли́. Как мо́жно предста́вить себе́ созда́ние иску́сственного
спу́тника? Сообщи́м не́которому те́лу в горизонта́льном напра-
вле́нии таку́ю ско́рость, чтобы си́ла земно́го притяже́ния[4] в
то́чности равня́лась центробе́жной си́ле, де́йствующей на э́то
те́ло. Тогда́ на́ше те́ло не смо́жет ни упа́сть на Зе́млю, ни уле-
те́ть от неё. Так как о́бе си́лы равны́ друг дру́гу, но де́йствуют
в противополо́жные сто́роны, то на́ше небе́сное те́ло бу́дет всё
вре́мя как бы находи́ться в равнове́сии, дви́гаясь над Землёй на
одно́й и той же высоте́, т.е. те́ло бу́дет опи́сывать вокру́г Земли́
окру́жность с ра́диусом $a = R + H$, где R—ра́диус Земли́, а
H—высота́ те́ла над пове́рхностью Земли́ (рис. 1). Таки́м
о́бразом, те́ло преврати́тся в иску́сственный спу́тник.

СПУ́ТНИК ЗЕМЛИ́

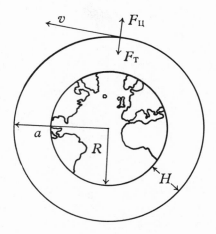

· орби́та спу́тника

Рис. 1. Кругова́я орби́та иску́сственного спу́тника Земли́.

Найдём тепе́рь величину́ ско́рости, кото́рую ну́жно сообщи́ть
те́лу для того́, чтобы оно́ ста́ло дви́гаться вокру́г Земли́ по
круговой орби́те (орби́той называ́ется за́мкнутая[5] крива́я,

[4] **притяже́ние** attraction
[5] **замыка́ть-замкну́ть** *to close*

кото́рую одно́ небе́сное те́ло опи́сывает вокру́г друго́го притя́гивающего те́ла), не па́дая на земну́ю пове́рхность и не улета́я в межпланéтное простра́нство.

Для э́того, очеви́дно, ну́жно $F_\text{т}$ приравня́ть $F_\text{ц}$. Испо́льзуя выраже́ния (1) и (2) для $F_\text{т}$ и $F_\text{ц}$, нахо́дим:

$$\frac{mv^2}{a} = \frac{GMm}{a^2} \tag{3}$$

отку́да, сокраща́я[6] на m и на a и извлека́я[7] квадра́тный ко́рень,[8] получа́ем:

$$v = \sqrt{\frac{GM}{a}} \quad = \sqrt{\frac{GM}{R+H}} \tag{4}$$

Ита́к, éсли мы зна́ем высоту́ спу́тника H, то мо́жем сра́зу по фо́рмуле (4) найти́ кругову́ю ско́рость, т.е. ско́рость, кото́рую ну́жно сообщи́ть спу́тнику, что́бы он дви́гался вокру́г Земли́ на одно́й и той же высоте́ H.

Упражне́ния (Exercises)

A. *Dictionary practice*

Кры́мская война́ 1853–56. Кры́мская война́ сыгра́ла огро́мную роль во вну́тренней исто́рии Росси́и и в измене́нии её междунаро́дного положе́ния в 19 в.* Но́вую войну́ для реше́ния восто́чного вопро́са Никола́й 1 предви́дел и стал гото́виться к ней сра́зу по́сле пораже́ния револю́ции 1848. Сове́тским исто́рикам (рабо́ты акад. Е. В. Та́рле, «Исто́рия диплома́тии» под ред. В. П. Потёмкина) удало́сь убеди́тельно доказа́ть, что не ме́нее отве́тственной за развя́зывание войны́ на Бли́жнем Восто́ке и превраще́ние Ру́сско-туре́цкой войны́ в общеевропе́йскую была́ англи́йская и францу́зская диплома́тия. Никола́й 1 мечта́л о подчине́нии Ту́рции и приобре́тении но́вых владе́ний на Балка́нском полуо́строве и в райо́не Босфо́ра и Дардане́лл. Англо-францу́зские проти́вники никола́евской Росси́и обсужда́ли пла́ны по́лного вытесне́ния её с Бли́жнего Восто́ка и из райо́на Чёрного мо́ря, прое́кты отторже́ния от Росси́и Кавка́за, Кры́ма, юго-за́падной Украи́ны, Белору́ссии, Литвы́, По́льши и Финля́ндии.

[6] **сокраща́ть-сократи́ть** to reduce, to abbreviate, to shorten
[7] **извлека́ть-извле́чь** to extract, is derive
[8] **квадра́тный ко́рень** square root
* **в.** (*nom. sing.* век) century.

Попы́тка Николая́ 1 прямы́м дипломати́ч. нажи́мом пону́дить султа́нскую Ту́рцию к усту́пкам оказа́лась безуспе́шной. Для обеспе́чения удовлетворе́ния свои́х тре́бований Никола́й 1 за́нял ру́сскими войска́ми в ию́не 1853 Молда́вию и Вала́хию. В октябре́ туре́цкие войска́ перешли́ в наступле́ние. В отве́т Никола́й 1 объяви́л войну́ Ту́рции.

— Больша́я сове́тская энциклопе́дия (1947)

B. Make correct Russian sentences by matching the appropriate constructions in column *b* with each word or group of words in column *a*. Translate your results.

a	*b*
1. Что оте́ц ду́мает о	9. тому́, что писа́ли това́рищи му́жа.
2. Результа́ты о́пыта зави́сят от	10. тем, что все спа́ли, аге́нт вошёл в лаборато́рию.
3. Несмотря́ на	11. том, что Луи́за лю́бит америка́нца?
4. Жена́ э́то зна́ла по	12. того́, что вы мне сказа́ли вчера́?
5. Дире́ктор отвеча́ет за	13. том, что студе́нты иногда́ шумя́т.
6. По́льзуясь	14. то, что Пётр жил три го́да в Ло́ндоне, он пло́хо понима́ет по-англи́йски.
7. Я ничего́ плохо́го не ви́жу в	15. того́, как мы его́ произво́дим.
8. Вы не по́мните	16. то, что де́лается в институ́те.

C. *Review of participles and verbal adverbs.* Identify verbal adverbs (present or past) and participles (present or past, active or passive) in the following sentences and translate the sentences.

1. О́гненный шар бы́стро поднима́ется вверх, увели́чиваясь в свои́х разме́рах.

2. Образу́ется столб пы́ли и ды́ма, по́днятых с земли́.

3. При э́том чем вы́ше температу́ра, тем вы́ше располо́жена соотве́тствующая э́той температу́ре изоте́рма.

4. В тече́ние вре́мени существова́ния рассма́триваемой систе́мы, сво́йства её не отлича́ются от сво́йств обы́чных я́дер, находя́щихся в си́льно возбуждённых состоя́ниях.

5. Испыта́в одно́ столкнове́ние и потеря́в часть свое́й эне́ргии, части́ца мо́жет вы́йти из ядра́, не образова́в составно́го ядра́ и измени́в, возмо́жно, лишь свою́ приро́ду.

6. У вас есть список русских сокращений, применяемых в СССР?

7. Молодая вдова проявляет полное равнодушие ко всему окружающему.

8. ''Наши инженеры, подготовленные советской высшей школой, достигли мирового первенства на решающих направлениях развития науки и техники,'' сказал товарищ Елютин.

9. Переходя улицу, обращайте внимание на движение машин!

10. Мы отдаём себе отчёт о том, что стоящая перед нами задача велика и сложна.

11. Начиная с 60 километров, удалось обнаружить положительные и отрицательные ионы, а с высоты 70 километров — свободные электроны.

12. Сравнивая весовые отношения одинаковых объёмов какого-либо газа и водорода и считая молекулярный вес водорода равным 2, формулу (1) можно записать так:

$$\frac{NM}{NM_1} = \frac{M}{2}.$$

13. По видоизменённому методу Рейнско-Вестфальской компании анализ проводят в растворах солей, где равновесное состояние между образующимися осадками азида серебра и примесей, с одной стороны, и концентрациями растворенных солей, — с другой, не изучено (метод Фольгарда).

14. Такого рода исследование было начато одним из нас при изучении амилазы, а затем продолжено нами в предыдущей работе по синтезу общего белка в цитоплазматических гранулах.

TABLES

Table 1. Declensional Endings of Nouns

Case	Singular			Plural		
	m.	*n.*	*f.*	*m.*	*n.*	*f.*
nom.	ø/й/ь	о/е	а/я/ь	ы/и (а́/я́)	а/я	ы/и
gen.	а/я	а/я	ы/и	ов/ев(ёв)/ей	ø/ей/й	ø/ь/ей/й
dat.	у/ю	у/ю	е/и	ам/ям	ам/ям	ам/ям
acc.	Like *nom.* or *gen.*	Like *nom.*	у/ю/ь	Like *nom.* or *gen.*	Like *nom.*	Like *nom.* or *gen.*
instr.	ом/ем	ом/ем	ой/ей/ью (ою/ею)	ами/ями	ами/ями	ами/ями (ьми)
prep.	е/и (у́/ю́)	е/и	е/и	ах/ях	ах/ях	ах/ях

ø indicates a "zero" ending.

Table 2. Declensional Endings of Adjectives

Case	Singular			Plural
	m.	*n.*	*f.*	for all genders
nom.	ый/ий/ой	ое/ее	ая/яя	ые/ие
gen.	ого/его	ого/его	ой/ей	ых/их
dat	ому/ему	ому/ему	ой/ей	ым/им
acc.	Like *nom.* or *gen.*	Like *nom.*	ую/юю	Like *nom.* or *gen.*
instr.	ым/им	ым/им	ой/ей (ою/ею)	ыми/ими
prep.	ом/ем	ом/ем	ой/ей	ых/их

152

Table 3. Prepositions and Requisite Cases

Cases	Russian	English
Genitive	без (бе́зо)	without
	близ	near
	вдоль	along
	вме́сто	instead of
	вне	outside
	внутри́	inside
	во́зле	alongside
	вокру́г	around
	для	for (the sake of)
	до	up to, until
	из (и́зо)	out of, from, from out of, of
	из-за	from behind, because of
	из-под	from under
	кро́ме	besides, except
	круго́м	around
	ми́мо	past
	о́коло	around, near
	от (ото)	away from, from
	по́дле	alongside, near
	позади́	behind
	по́сле	after
	посреди́	among
	про́тив	against
	ра́ди	for the sake of
	с(со)	from, off, from off of, since
	сверх	over
	среди́	among
	у	by, at, near, next to, at the house of, among, in the country of, in
Dative	вопреки́	despite, contrary to
	к(о)	towards, to
	по	along, over, according to, on
Accusative	в(о)	into, in, to
	за	for
	на	onto, to, on, for (*duration of time*)
	о(об) (обо)	against
	по	up to
	под(о)	under
	про	about
	с(о)	about, approximately
	сквозь	through
	че́рез	across, over, through, by

Cases	Russian	English
Instrumental	за	behind, beyond, after (to follow); for (to go for)
	мéжду	between, among
	над(о)	over, above, upon
	пéред(о)	in front of, before
	под(о)	under, near
	с(о)	with, along with, in the company of
Prepositional	в(о)	in
	на	on, in
	о(об) (обо)	about
	по	after
	при	in the presence of, during the time of

APPENDIX

Appendix A.   Spelling Rules

1. Owing to rules of spelling, certain consonant-vowel combinations do not appear. Knowledge of the following rules will explain what seem to be irregularities in declensions and conjugations.

a. After **г, к, х, ж, ч, ш, щ, ц** the letters **ю** and **я** cannot appear. If the declension or conjugation appears to require them, they are replaced by **y** and **a** respectively.

b. After **г, к, х, ж, ч, ш, щ** the letter **ы** cannot appear. It is replaced by **и**.

c. After **ц** the letter **и** cannot appear (except in words of foreign origin).

d. After the letters **ж, ч, ш, щ, ц** an *unaccented* **o** cannot appear. It is replaced by **e**.

2. The spelling rules given above can be summarized by the following chart, with the sign > meaning "is replaced by."

$$
\text{unaccented} \atop \text{o > e}
\left.
\begin{cases}
\text{г} \\
\text{к} \\
\text{х} \\
\text{ж} \\
\text{ч} \\
\text{ш} \\
\text{щ} \\
\text{ц}
\end{cases}
\right\}
\begin{array}{c}
\text{ю > y} \\
\text{я > a}
\end{array}
\left.\begin{array}{c}\\\\\\\\\\\end{array}\right\}
\begin{array}{l}
\text{ы > и} \\
\\
\\
\} \ \text{See 1, c, above}
\end{array}
$$

Appendix B. Irregular Case Endings

1. *Masculine genitive* in **-у** (**-ю**).

a. This is often encountered when the *genitive* of a noun denoting divisible matter is used in a partitive sense.

ча́шка ча́ю	a cup of tea
ма́ло наро́ду	a few people
фунт са́хару	a pound of sugar

b. This found in some fixed expressions with no implication of partition.

о́т роду	from birth
и́з дому	out of the house

2. *Masculine prepositional* in **-у́** (**-ю́**) after **в** and **на**.

a. These endings are always accented.

в саду́	in the garden
на мосту́	on the bridge
в э́том году́	this year
на полу́	on the floor
в углу́	in the corner
на краю́	on the edge
в лесу́	in the forest
в виду́	in view

3. The *genitive plural* of the following common nouns is the *same* as the *nominative singular*:

глаз	eye	без глаз	eyeless
раз	time	не́сколько раз	several times
солда́т	soldier	семь солда́т	seven soldiers
челове́к	person	сто челове́к*	one hundred persons

4. *Instrumental plural* in **-ьми**. Two words must have this ending in the instrumental plural: children and people.

	children	*people*
nom. pl.	де́ти	лю́ди
instr. pl.	детьми́	людьми́

* This form is used *only after numbers* and (**не**) **ско́лько**.

Appendix C. Special Noun Declensions

1. The following common nouns have *irregular plural declensions*, as indicated:

брат	brother	бра́тья, бра́тьев, бра́тьям, etc.
де́рево	tree	дере́вья, дере́вьев, дере́вьям, etc
друг	friend	друзья́, друзе́й, друзья́м, etc.
князь	prince	князья́, князе́й, князья́м, etc.
крыло́	wing	кры́лья, кры́льев, кры́льям, etc.
лист	leaf	ли́стья, ли́стьев, ли́стьям, etc.
муж	husband	мужья́, муже́й, мужья́м, etc.
перо́	pen, feather	пе́рья, пе́рьев, пе́рьям, etc.
сосе́д	neighbor	сосе́ди, сосе́дей, сосе́дям, etc.
стул	chair	сту́лья, сту́льев, сту́льям, etc.
сын	son	**сыновья́, сынове́й, сыновья́м**, etc.
чорт	devil	че́рти, черте́й, черта́м, etc.

2. The names of the young of some species end in **-ёнок**. The *nominative plural* ends in **-ята** or **-ата** and the *genitive plural* in **-ят** or **-ат**.

ребёнок	child	ребя́та, ребя́т, ребя́там, etc.
телёнок	calf	теля́та, теля́т, теля́там, etc.
цыплёнок	chick	цыпля́та, цыпля́т, цыпля́там, etc.

Other nouns of this sort are:

гусёнок	gosling
котёнок	kitten
львёнок	lion cub
медвежёнок	bear cub
поросёнок	piglet

The words for *mother* (**мать**) and *daughter* (**дочь**) have the same endings in oblique cases as any feminine noun ending in **-ь**. However, in all cases except the accusative singular (which is like the nominative sing.), the stem is lengthened to **матер-** and **дочер-** before the endings are suffixed.

	SINGULAR	PLURAL
nom.	мать	ма́тери
gen.	ма́тери	матере́й
dat.	ма́тери	матеря́м
acc.	мать	матере́й
instr.	ма́терью	матеря́ми (*also* матерьми́)
prep.	ма́тери	матеря́х

Appendix D. Masculine Nouns with Nominative Plural in Accented -á or -я́

1. The following common masculine nouns take a *nominative plural* in accented **-á** or **-я́**.

бéрег	берегá	shores
бок	бокá	sides
век	векá	centuries
вéчер	вечерá	evenings
глаз	глазá	eyes
год	годá (*also* гóды)	years
гóлос	голосá	voices
гóрод	городá	towns
дóктор	докторá	doctors
дом	домá	houses
край	края́	edges
лес	лесá	forests
óстров	островá	islands
пóезд	поездá	trains
профéссор	профессорá	professors
учи́тель	учителя́	teachers
цвет	цветá	colors

Appendix E. Diminutives

1. Diminutives play a considerably more important role in the Russian language than they do in our own. This is true even in specialized fields. They are recognized by such suffixes as **-ок, -ёк, -ик, -чик, -ёнка, -ица, -очка, -ко, -ико, -цо** and **-це** (*n.*). Thus,

па́лка	stick	па́л**очка**	rod, little stick
дождь	rain	до́жд**ик**	"little rain"
колесо́	wheel	колёс**ико**	small wheel
круг	circle	круж**о́к**	small circle *or* social group

2. In addition to expressing the small size of the objects or persons described, diminutives often designate a feeling of approbation, affection, or familiarity (sometimes contemptuous) toward these objects or persons. The following examples are purely illustrative, and the student is not expected to remember new words appearing in them:

вино́ *wine*

Винцо́ его́ мне о́чень понра́вилось!
I liked his wine very much.

ло́шадь (*f.*) *horse*
Кака́я у тебя́ лошадёнка!
What a nag you have there!

ба́ба *uneducated peasant woman*
По́ снегу пробира́лась кака́я-то ма́ленькая бабёнка.
Some sort of little old woman was making her way through the snow.

3. Some words which are diminutive in form have lost their connotations of smallness or affection:

буты́лка	bottle
кусо́к	piece
пья́ница	drunkard

Appendix F. Verbs Requiring Special Cases

1. Some important Russian verbs which we might expect to take objects in the accusative case are in fact used with other cases. Here are some of the most common of these verbs:

a. **Genitive**

боя́ться to fear, to be afraid of
Почему́ Пётр так **бои́тся** поли́ции?
Why is Peter so afraid of the police?

достига́ть (**дости́гнуть**) to achieve, attain
Нау́чная экспеди́ция **дости́гла** свое́й це́ли
The scientific expedition achieved its aim.

избега́ть (**избежа́ть**) to avoid
На́до **избега́ть** таки́х инциде́нтов.
One must avoid such incidents.

каса́ться to concern, to be about
Что **каса́ется** рабо́чих, они́ все дово́льны.
So far as the workers are concerned, they are all satisfied

лиша́ть (**лиши́ть**) to deprive
Война́ **лиши́ла** нас роди́телей.
The war deprived us of our parents.

тре́бовать to demand, to require
Коллекти́в рабо́чих **тре́бует** добросо́вестн**ого** отноше́ни**я**
к рабо́те.
The workers' collective demands a conscientious attitude
toward work.

b. **Dative.**

ве́рить (**пове́рить**) to believe
Никто́ **ему́** не **ве́рил**.
No one believed him.

меша́ть (**помеша́ть**) to hinder, prevent, disturb
Шум **меша́ет** студе́нт**ам**.
The noise disturbs the students.

напомина́ть (**напо́мнить**) to remind
Напо́мните дире́ктору об э́том.
Remind the director of this.

подража́ть to imitate, copy
Кто **подража́ет** ва́шим ме́тод**ам**?
Who is copying your methods?

помога́ть (помо́чь) to help
Студе́нт помога́ет профе́ссору в его́ о́пытах.
The students helps the professor in his experiments.

удивля́ться (удиви́ться) to be surprised
Все удивля́ются результа́там на́ших о́пытов.
Everybody is surprised at the results of our experiments.

учи́ться (научи́ться) to learn
Почему́ вы у́читесь ру́сскому языку́?
Why are you learning the Russian language?

c. **Instrumental**

владе́ть to own, command, control
Са́ша не уме́ет владе́ть собо́й.
Sasha does not know how to control himself.

же́ртвовать (поже́ртвовать) to contribute, sacrifice
Она́ же́ртвовала всем, чтобы дать сы́ну хоро́шее образова́ние.
She sacrificed everything in order to give her son a good education.

дорожи́ть to value highly
Мне ка́жется, что э́тот челове́к не дорожи́т свое́й жи́знью.
It seems to me that this man does not value his life.

облада́ть to possess
Де́душка облада́ет мно́гими положи́тельными ка́чествами.
Grandpa possesses many fine qualities.

по́льзоваться (воспо́льзоваться) to use, take advantage of
Каки́м уче́бником вы по́льзуетесь в кла́ссе?
Which textbook do you use in class?

пра́вить to guide, direct, drive, govern
Ми́ром пра́вит сам челове́к.
Man himself rules the world.

руководи́ть to manage, direct, conduct, lead
Эта молода́я же́нщина руководи́т брига́дой.
This young woman leads a brigade.

управля́ть to administer, manage, govern
Её сын управля́ет заво́дом в Сиби́ри.
Her son manages a factory in Siberia.

Appendix G. Irregular Verb Forms

This list contains only those verbs encountered in the text whose forms differ in some way from the infinitive stem of the verb. For the formation of "regular" verbs see the appropriate sections of grammar explanation in the text.

Infinitive	Asp.	1st Sing.	2nd Sing.	Masc. past	Masc. past pass. part.
бежа́ть	imp.	бегу́	бежи́шь	бежа́л	
to be running, to run		3rd pl. бегу́т			
бить	imp.	бью	бьёшь	бил	би́тый
to hit					
боро́ться	imp.	борю́сь	бо́решься	боро́лся	
to struggle					
брать	imp.	беру́	берёшь	брал	
to take					
быть	imp.	бу́ду (*fut.*)	бу́дешь (*fut.*)	был	
to be					
везти́	imp.	везу́	везёшь	вёз	везённый
to be transporting, to transport					
вести́	imp.	веду́	ведёшь	вёл	ведённый
to be leading, to lead					
взять	pf.	возьму́	возьмёшь	взял	взя́тый
to take					
ви́деть	imp.	ви́жу	ви́дишь	ви́дел	
to see					
висе́ть	imp.	вишу́	виси́шь	висе́л	
to hang					
внести́	pf.	внесу́	внесёшь	внёс	внесённый
to bring in					
вноси́ть	imp.	вношу́	вно́сишь	вноси́л	
to bring in					
води́ть	imp.	вожу́	во́дишь	води́л	
to lead (*hab.*)					
возненави́деть	pf.	возненави́жу	возненави́дишь	возненави́дел	
to hate					
возни́кнуть	pf.	возни́кну	возни́кнешь	возни́к	
to arise					
войти́	pf.	войду́	войдёшь	вошёл	
to enter					
воспо́льзоваться	pf.	воспо́льзуюсь	воспо́льзуешься	воспо́льзовался	
to use, take advantage of					
встре́тить(ся)	pf.	встре́чу(сь)	встре́тишь(ся)	встре́тил(ся)	встре́ченный
to meet					
входи́ть	imp.	вхожу́	вхо́дишь	входи́л	
to enter					

Infinitive	Asp.	1st Sing.	2nd Sing.	Masc. past	Masc. past pass. part.
вы́сохнуть to grow dry, dry up	pf.	вы́сохну	вы́сохнешь	вы́сох	
вы́ступить to come out	pf.	вы́ступлю	вы́ступишь	вы́ступил	
гото́вить(ся) to prepare	imp.	гото́влю(сь)	гото́вишь(ся)	гото́вил(ся)	
дава́ть to give	imp.	даю́	даёшь	дава́л	
дать to give	pf.	дам 3rd sing. 1st pl. 2nd pl. 3rd pl.	дашь даст дади́м дади́те даду́т	дал	да́нный
де́йствовать to act, work	imp.	де́йствую	де́йствуешь	де́йствовал	
держа́ть to hold	imp.	держу́	де́ржишь	держа́л	де́ржанный
доказа́ть to prove	pf.	докажу́	дока́жешь	доказа́л	дока́занный
допусти́ть to permit, allow	pf.	допущу́	допу́стишь	допусти́л	допу́щенный
доста́вить to give, provide	pf.	доста́влю	доста́вишь	доста́вил	доста́вленный
е́здить to go (except on foot) (hab.)	imp.	е́зжу	е́здишь	е́здил	
е́хать to be going, to go (except on foot)	imp.	е́ду	е́дешь	е́хал	
жить to live	imp.	живу́	живёшь	жил	
зави́сеть to depend (on)	imp.	зави́шу	зави́сишь	зави́сел	
закры́ть to close	pf.	закро́ю	закро́ешь	закры́л	закры́тый
заня́ть(ся) to occupy (to be engaged in)	pf.	займу́(сь)	займёшь(ся)	за́нял(ся́)	за́нятый
записа́ть(ся) to note down	pf.	запишу́(сь)	запи́шешь(ся)	записа́л(ся)	запи́санный
запрети́ть to forbid, prohibit	pf.	запрещу́	запрети́шь	запрети́л	запрещённый
захвати́ть to seize	pf.	захвачу́	захва́тишь	захвати́л	захва́ченный
захоте́ть to want, wish	pf.	захочу́ 3rd sing. 1st pl. 2nd pl. 3rd pl.	захо́чешь захо́чет захоти́м захоти́те захотя́т	захоте́л	

Infinitive	Asp.	1st Sing.	2nd Sing.	Masc. past	Masc. past pass. part
зашуме́ть to make noise	pf.	зашумлю́	зашуми́шь	зашуме́л	
идти́ to be going, to go	imp.	иду́	идёшь	шёл fem. шла	
избра́ть to elect	pf.	изберу́	изберёшь	избра́л	и́збранный
издава́ть to publish, issue	imp.	издаю́	издаёшь	издава́л	
изда́ть to publish, issue	pf.	изда́м 3rd sing. 1st pl. 2nd pl. 3rd pl.	изда́шь изда́ст издади́м издади́те издаду́т	и́зда́л	и́зданный
изпо́льзо-вать(ся) to use	imp./ pf.	изпо́ль-зую(сь)	исполь-зуешь(ся)	исполь-зовал(ся)	испо́льзован-ный
исче́знуть to disappear	pf.	исче́зну	исче́знешь	исче́з	
каза́ться to seem	imp.	кажу́сь	ка́жешься	каза́лся	
класть to put	imp.	кладу́	кладёшь	клал	
критикова́ть to criticize	imp.	критику́ю	критику́ешь	критикова́л	критико́ван-ный
лежа́ть to lie	imp.	лежу́	лежи́шь	лежа́л	
лете́ть to be flying, to fly	imp.	лечу́	лети́шь	лете́л	
лить to pour	imp.	лью	льёшь	лил	ли́тый
люби́ть to love, like	imp.	люблю́	лю́бишь	люби́л	
мочь to be able	imp.	могу́ 3rd pl. мо́гут	мо́жешь	мог	
нагре́ть to heat, warm	pf.	нагре́ю	нагре́ешь	нагре́л	нагре́тый
назва́ть to call, name	pf.	назову́	назовёшь	назва́л	на́званный
найти́ to find	pf.	найду́	найдёшь	нашёл fem. нашла́	на́йденный
написа́ть to write	pf.	напишу́	напи́шешь	написа́л	напи́санный
напра́вить to direct, guide	pf.	напра́влю	напра́вишь	напра́вил	напра́вленный

Infinitive	Asp.	1st Sing.	2nd Sing.	Masc. past	Masc. past pass. part
находи́ть to find	imp.	нахожу́	нахо́дишь	находи́л	
нача́ть(ся) to begin	pf.	начну́(сь)	начнёшь(ся)	на́чал(ся́)	на́чатый
ненави́деть to hate	imp.	ненави́жу	ненави́дишь	ненави́дел	
нести́ to be carrying, to carry	imp.	несу́	несёшь	нёс	несённый
носи́ть to carry, bear (hab.); to wear	imp.	ношу́	но́сишь	носи́л	но́шенный
оби́деть to offend	pf.	оби́жу	оби́дишь	оби́дел	оби́женный
обня́ть to embrace	pf.	обниму́	обни́мешь	о́бнял	о́бнятый
обрати́ть to turn, return, transform	pf.	обращу́	обрати́шь	обрати́л	обращённый
описа́ть to describe	pf.	опишу́	опи́шешь	описа́л	опи́санный
опубликова́ть to publish	pf.	опублику́ю	опублику́ешь	опубликова́л	опублико́ван- ный
осмотре́ть to inspect	pf.	осмотрю́	осмо́тришь	осмотре́л	осмо́тренный
основа́ть to found	pf.	осную́	оснуёшь	основа́л	осно́ванный
осуществи́ться to be achieved, realized	pf.	осущест- влю́сь	осущест- ви́шься	осущест- ви́лся	
отдава́ть to give, give up	imp.	отдаю́	отдаёшь	отдава́л	
отда́ть to give, give up	pf.	отда́м 3rd sing. 1st pl. 2nd pl. 3rd pl.	отда́шь отда́ст отдади́м отдади́те отдаду́т	о́тдал	о́тданный
откры́ть to open, discover	pf.	откро́ю	откро́ешь	откры́л	откры́тый
отме́тить to note	pf.	отме́чу	отме́тишь	отме́тил	отме́ченный
отнести́ to remove	pf.	отнесу́	отнесёшь	отнёс	отнесённый
относи́ть(ся) to remove (refl. to concern)	imp.	отношу́(сь)	отно́сишь (ся)	относи́л (ся)	
пасть to fall	pf.	паду́	падёшь	пал	

Infinitive	Asp.	1st Sing.	2nd Sing.	Masc. past	Masc. past pass. part.
перевести to translate	pf.	переведу	переведёшь	перевёл	переведённый
переводить to translate	imp.	перевожу	переводишь	переводил	
писать to write	imp.	пишу	пишешь	писал	писанный
побежать to run	pf.	побегу 3rd pl.	побежишь побегут	побежал	
побить to hit	pf.	побью	побьёшь	побил	побитый
побороться to struggle	pf.	поборюсь	поборешься	поборолся	
повезти to transport	pf.	повезу	повезёшь	повёз	повезённый
повести to lead	pf.	поведу	поведёшь	повёл	поведённый
повиснуть to hang	pf.	повисну	повиснешь	повис/ повиснул	
поехать to go (except on foot)	pf.	поеду	поедешь	поехал	
пойти to go	pf.	пойду	пойдёшь	пошёл fem. пошла	
показать(ся) to show (reflex. to seem)	pf.	покажу(сь)	покажешь(ся)	показал(ся)	показанный
полететь to fly	pf.	полечу	полетишь	полетел	
полить to pour	pf.	полью	польёшь	полил	политый
пользоваться to use, take advantage of	imp.	пользуюсь	пользуешься	пользовался	
полюбить to love, like	pf.	полюблю	полюбишь	полюбил	
понести to carry	pf.	понесу	понесёшь	понёс	понесённый
понять to understand	pf.	пойму	поймёшь	понял	понятый
попросить to request, beg	pf.	попрошу	попросишь	попросил	попрошенный
послать to send	pf.	пошлю	пошлёшь	послал	посланный
последить to watch	pf.	послежу	последишь	последил	
посмотреть to look at	pf.	посмотрю	посмотришь	посмотрел	

Infinitive	Asp.	1st Sing.	2nd Sing.	Masc. past	Masc. past pass. part.
поспа́ть to sleep	pf.	посплю́	поспи́шь	поспа́л	
постоя́ть to stand	pf.	постою́	постои́шь	постоя́л	
потруди́ться to toil	pf.	потружу́сь	потру́дишься	потруди́лся	
потяну́ть to pull	pf.	потяну́	потя́нешь	потяну́л	потя́нутый
пра́вить to drive, rule	imp.	пра́влю	пра́вишь	пра́вил	пра́вленный
преврати́ться to be transformed	pf.	превращу́сь	превра- ти́шься	преврати́лся	
предста́вить to present	pf.	предста́влю	предста́вишь	предста́вил	предста́влен- ный
преобразова́ться to turn into	pf.	преобразу́- юсь	преобразу́- ешься	преобразо- ва́лся	
пригото́вить to prepare	pf.	пригото́влю	пригото́вишь	пригото́вил	пригото́влен- ный
прийти́ to arrive	pf.	приду́	придёшь	пришёл fem. пришла́	
прийти́сь to have to	pf.	3rd Sing.	придётся	neut. пришло́сь	
прикры́ть to cover, screen	pf.	прикро́ю	прикро́ешь	прикры́л	прикры́тый
принадлежа́ть to belong	imp.	принадлежу́	принадле- жи́шь	принадлежа́л	
принести́ to bring	pf.	принесу́	принесёшь	принёс	принесённый
приноси́ть to bring	imp.	приношу́	прино́сишь	приноси́л	
приня́ть to take, accept, receive	pf.	приму́	при́мешь	при́нял	при́нятый
приходи́ть to arrive	imp.	прихожу́	прихо́дишь	приходи́л	
приходи́ться to have to	imp.	3rd Sing.	прихо́дится	neut. приходи́лось	
провести́ to draw, enact, conduct; spend (time)	pf.	проведу́	проведёшь	провёл	проведённый
проводи́ть to draw, enact, conduct; spend (time)	imp.	провожу́	прово́дишь	проводи́л	
произвести́ to produce	pf.	произведу́	произведёшь	произвёл	произведён- ный
производи́ть to produce	imp.	произвожу́	произво́дишь	производи́л	

Infinitive	Asp.	1st Sing.	2nd Sing.	Masc. past	Masc. past pass. part.
проси́ть to request, beg	imp.	прошу́	про́сишь	проси́л	про́шенный
прости́ть to forgive	pf.	прошу́	прости́шь	прости́л	прощённый
прочёсть to read	pf.	прочту́	прочтёшь	прочёл fem. прочла́	прочтённый
публикова́ть to publish	imp.	публику́ю	публику́ешь	публикова́л	
раскры́ть to uncover, reveal	pf.	раскро́ю	раскро́ешь	раскры́л	раскры́тый
рассмотре́ть to examine, inspect	pf.	рассмотрю́	рассмо́тришь	рассмотре́л	рассмо́трен- ный
роди́ться to be born	pf.	рожу́сь	роди́шься	роди́лся́	
свести́сь to be reduced to, to come down to	pf.			свёлся	
своди́ться to be reduced to, to come down to	imp.			своди́лся	
связа́ть to connect, join	pf.	свяжу́	свя́жешь	связа́л	свя́занный
следи́ть to keep track of, to watch	imp.	слежу́	следи́шь	следи́л	
сле́довать to follow, to be necessary	imp.	сле́дую	сле́дуешь	сле́довал	
слы́шать to hear	imp.	слы́шу	слы́шишь	слы́шал	слы́шанный
смотре́ть to look	imp.	смотрю́	смо́тришь	смотре́л	смо́тренный
смочь to be able	pf.	смогу́ 3rd pl.	смо́жешь смо́гут	смог	
создава́ть to create	imp.	создаю́	создаёшь	создава́л	
созда́ть to create	pf.	созда́м 3rd sing. 1st pl. 2nd pl. 3rd pl.	созда́шь созда́ст создади́м создади́те создаду́т	со́здал	со́зданный
соотве́т- ствовать to correspond, correlate	imp.	соотве́т- ствую	соотве́т- ствуешь	соотве́т- ствовал	
соста́вить to compose	pf.	соста́влю	соста́вишь	соста́вил	соста́вленный
состоя́ть to consist	imp.	состою́	состои́шь	состоя́л	

Infinitive	Asp.	1st Sing.	2nd Sing.	Masc. past	Masc. past pass. part.
сóхнуть to grow dry, dry up	imp.	сóхну	сóхнешь	сох	
спать to sleep	imp.	сплю́	спишь	спал	
становúться to become	imp.	становлю́сь	станóвишься	становúлся	
стать to become; to begin	pf.	стáну	стáнешь	стал	
стоя́ть to stand	imp.	стою́	стоúшь	стоя́л	
стремúться to strive	imp.	стремлю́сь	стремúшься	стремúлся	
ступúть to stride, step	pf.	ступлю́	стýпишь	ступúл	
существовáть to exist	imp.	существу́ю	существу́ешь	существовáл	
трóнуть to touch	pf.	трóну	трóнешь	трóнул	трóнутый
трудúться to toil	imp.	тружу́сь	трýдишься	трудúлся	
тяну́ть to pull	imp.	тяну́	тя́нешь	тяну́л	тя́нутый
увúдеть to see	pf.	увúжу	увúдишь	увúдел	
узнавáть to find out	imp.	узнаю́	узнаёшь	узнавáл	
узнáть to find out	pf.	узнáю	узнáешь	узнáл	у́знанный
указáть to indicate, show	pf.	укажу́	укáжешь	указáл	укáзанный
улетéть to fly away	pf.	улечу́	улетúшь	улетéл	
умерéть to die	pf.	умру́	умрёшь	у́мер	
унестú to carry off	pf.	унесу́	унесёшь	унёс	унесённый
уносúть to carry off	imp.	уношу́	унóсишь	уносúл	
упáсть to fall	pf.	упаду́	упадёшь	упал	
упрáвить to direct, manage	pf.	упрáвлю	упрáвишь	упрáвил	
услы́шать to hear	pf.	услы́шу	услы́шишь	услы́шал	услы́шанный

Infinitive	Asp.	1st Sing.	2nd Sing.	Masc. past.	Masc. past pass. part.
установи́ть to establish	pf.	установлю́	устано́вишь	установи́л	устано́вленный
устреми́ться to strive	pf.	устремлю́сь	устреми́шься	устреми́лся	
утра́тить to lose	pf.	утра́чу	утра́тишь	утра́тил	утра́ченный
ходи́ть to go (hab.)	imp.	хожу́	хо́дишь	ходи́л	
хоте́ть to want, wish	imp.	хочу́ 3rd sing. 1st pl. 2nd pl. 3rd pl.	хо́чешь хо́чет хоти́м хоти́те хотя́т	хоте́л	
шуме́ть to make noise	imp.	шумлю́	шуми́шь	шуме́л	
яви́ться to appear, to be	pf.	явлю́сь	я́вишься	яви́лся	

VOCABULARY

Abbreviations used:

acc.—accusative
act.—actual
adj.—adjective
adv.—adverb
conj.—conjunction
dat.—dative
f.—feminine
fam.—familiar
gen.—genitive
hab.—habitual
imp.—imperfective
instr.—instrumental

m.—masculine
n.—neuter
pf.—perfective
pl.—plural
pol.—polite
prep.—prepositional
reflex.—reflexive
sing.—singular

Imperfective verb entries include perfective in parentheses. Perfective verb entries include reference to imperfective. See list of irregular verb forms, beginning on page 162.

А

a but, and
автомобиль (*m.*) automobile
áвтор author
агéнт agent
адвокáт lawyer
áдрес address
акадéмик academician
акадéмия academy
актúвный active
Амéрика America
американец (*noun, m.*) (*gen.* америкáнца) an American
американка (*f.*) an American
американский American (*adj.*)
англúйский English
англичáнин Englishman
Англия England
аппарáт apparatus
апрéль (*m.*) April
áрмия army
армянский Armenian (*adj.*)
архúв archives
áтом atom
áтомный atomic

Б

бактéрия bacterium
банкúр banker
бéгать (*hab.*) to run
бежáть (побежáть) to be running, to run
без (безо) without
безвыходный desperate, critical
бéлый white
беспокóить (побеспокóить) to disturb, trouble
беспокóйство disturbance, trouble
библиотéка library
биóлог biologist
биологúческий biological
биолóгия biology
бúтва battle
бить (побúть) to hit
блúзкий close
бог a god
богáтый rich
бóльше (*adv.*) more
бóльший larger, greater
бóльшей чáстью for the most part

171

большинство́ majority
большо́й big, large
бо́мба bomb
боро́ться (поборо́ться) to struggle
борьба́ battle, conflict
брать (взять) to take
бу́ква letter (of alphabet)
бума́га paper
буржуази́я bourgeoisie
буржуа́зный bourgeois (adj.)
буты́лка bottle
бы́стро quickly
бы́стрый quick
быть to be
  мо́жет быть maybe, perhaps, possibly

В

в (во) in, into, to, at
ва́жный important
ваш your, yours
веду́щий leading
везти́ (повезти́) to be transporting, to transport
величина́ value, quantity, size
ве́рить (пове́рить) (+ dat.) to believe
вес weight
весна́ spring
вести́ (повести́) to be leading, to lead
весь, вся, всё, все all, the whole
ве́чер evening
взять (pf. of брать) to take
вид form, species, kind
  в виду́ in view
ви́деть (уви́деть) to see
висе́ть (пови́снуть) to hang
вклад contribution
власть (f.) power, authority
влия́ние influence
вмеша́тельство interference
внести́ (pf. of вноси́ть) to bring in
вне́шний external, foreign
внима́ние attention
  обраща́ть внима́ние на to pay attention to
  принима́ть во внима́ние to take into consideration

внима́тельный attentive
вноси́ть (внести́) to bring in
вода́ water
води́ть (hab.) to lead
возмо́жный possible
возненави́деть (pf. of ненави́деть) to hate
возника́ть (возни́кнуть) to arise
возни́кнуть (pf. of возника́ть) to arise
война́ war
войти́ (pf. of входи́ть) to enter
вокру́г around
во́ля will, freedom
вопро́с problem, question
во́семь (f.) eight
воспо́льзоваться (pf. of по́льзоваться) to use, to take advantage of
восьмо́й eighth
вот here, there's a
впервы́е (adv.) for the first time
впосле́дствии (adv.) later on, afterwards
вре́мя (n.) time
  во вре́мя (+ gen.) during
  в настоя́щее вре́мя at the present time
  в то же вре́мя at the same time
  за после́днее вре́мя lately, recently
всё (n.) all, everything
  всё же nevertheless
всегда́ always
всеми́рный universal
всео́бщий common, universal
вско́ре soon, shortly
вспо́мнить (pf. of по́мнить) to remember
встре́тить(ся) [pf. of встреча́ть(ся)] to meet
встреча́ть(ся) [встре́тить(ся)] to meet
вся́кий each
  во вся́ком слу́чае in any case
входи́ть (войти́) to enter
вчера́ yesterday

вы you (*pl. & pol. sing.*)
вы́бор election, choice
вы́вод conclusion, deduction
выдаю́щийся prominent
выраже́ние expression
высо́кий high
высота́ height
вы́сохнуть (*pf. of* со́хнуть) to grow dry, to dry up
выступа́ть (вы́ступить) to come out
вы́ступить (*pf. of* выступа́ть) to come out
вы́учить (*pf. of* учи́ть) to learn
вы́ше higher
  см. вы́ше (смотри́те вы́ше) see above
вышина́ height

Г

газе́та newspaper
где where
генера́л general
ге́ний genius
географи́ческий geographical
геогра́фия geography
геоло́гия geology
Герма́ния Germany
геро́й hero
глава́ chapter, head
  во главе́ с headed by
гла́вный main, chief
  гла́вным о́бразом chiefly
глубина́ depth
глубо́кий deep
говори́ть (поговори́ть) to speak
год year
  в э́том году́ this year
го́рдость (*f.*) pride
горизонта́льный horizontal
го́род city
го́спиталь (*m.*) hospital
госуда́рственный state (*adj.*)
  госуда́рственный де́ятель statesman
госуда́рство government, state
гото́вить (пригото́вить) to prepare

граждани́н (*m.*) citizen
гражда́нский civil
грамма́тика grammar
греть (нагре́ть) to heat, to warm
Гре́ция Greece
грузи́нский Georgian (*adj.*)
гру́ппа group
гумани́зм humaneness

Д

да yes
дава́ть (дать) to give
давно́ long ago, already
да́лее farther
  и т.д. (и так да́лее) *etc.*, and so forth
далёкий distant
дальне́йший further, following
  в дальне́йшем further, in what follows
дать (*pf. of* дава́ть) to give
дверь (*f.*) door
дви́гать (дви́нуть) to move
движе́ние movement, motion
дви́нуть (*pf. of* дви́гать) to move
действи́тельный real
де́йствовать (поде́йствовать) to act, work
дека́брь (*m.*) December
де́лать (сде́лать) to do, to make
де́ло thing, affair, deed, work
  име́ть де́ло с to deal with
  на де́ле in actual practice, in actual fact
демократи́ческий democratic
демокра́тия democracy
день (*m.*) day
депута́т deputy
дере́вня village, country
держа́ть to hold
деся́тый tenth
де́ятель (*m.*) worker
  госуда́рственный де́ятель statesman
де́ятельность (*f.*) activity
диктату́ра dictatorship
дире́ктор director

длина́ length

для for, for the sake of

для того́, что́бы in order to, in order that

до up to, until

доказа́ть (*pf. of* дока́зывать) to prove

дока́зывать (доказа́ть) to prove

до́ктор doctor

докуме́нт document

до́лжный obliged, indebted

допуска́ть (допусти́ть) to permit, to allow

допусти́ть (*pf. of* допуска́ть) to permit, to allow

дорого́й expensive, dear

доста́вить (*pf. of* доставля́ть) to give, provide

доставля́ть (доста́вить) to give, to provide

дра́ма drama

драмати́ческий dramatic

дре́вний ancient

дре́вность (*f.*) antiquity

друго́й other, different

и др. (и други́е) and others, *et al.*

дру́жественный friendly

духо́вный spiritual

E

Евро́па Europe

европе́йский European

его́ his, him

еди́нственный sole, only

еди́нство unity

еди́ный single, one (*adj.*)

её her, hers

е́здить (*hab.*) to go (*except on foot*)

е́сли if

есте́ственный natural

есть he, she, it is, there is, I am

т.е. (то есть) *i.e.*, that is

есть to eat

е́хать (пое́хать) to go (*except on foot*)

ещё still

ещё не not yet

Ж

же and, but (*or simply emphasis*)

жена́ wife

жизнь (*f.*) life

жить to live

журна́л journal, magazine

З

за behind, after, for

заверше́ние completion

за́втра tomorrow

зави́сеть (от) to depend (on)

зако́н law

закрыва́ть (закры́ть) to close

закры́ть (*pf. of* закрыва́ть) to close

замеча́тельный remarkable

занима́ть(ся) [заня́ть(ся)] to occupy, (to be engaged in)

заня́ть(ся) [*pf. of* занима́ть(ся)] to occupy, (to be engaged in)

за́пад west

за́падный western

записа́ть(ся) [*pf. of* запи́сывать(ся)] to note down

запи́сывать(ся) [записа́ть(ся)] to note down

запрети́ть (*pf. of* запреща́ть) to forbid, to prohibit

запреща́ть (запрети́ть) to forbid, to prohibit

за́работок earnings

зате́м subsequently, then

захвати́ть (*pf. of* захва́тывать) to seize

захва́тывать (захвати́ть) to seize

захоте́ть (*pf. of* хоте́ть) to want, to wish

заче́м why, for what

зашуме́ть (*pf. of* шуме́ть) to make noise

звезда́ star

зда́ние building

здесь here

земля́ earth
земно́й earth, terrestrial
зима́ winter
знамени́тый famous
зна́ние knowledge, learning
знать to know
значе́ние meaning, significance
зна́чить to mean, to signify

И

и and
игра́ть (сыгра́ть) to play
  игра́ть роль to play a part
идти́ (пойти́) to be going, to go
  речь идёт о the question concerns
из (изо) from out of, of
избира́ть (избра́ть) to elect
избра́ние election
избра́ть (pf. of избира́ть) to elect
изве́стие news
изве́стность (f.) fame
изве́стный famous, well known
извини́ть (pf. of извиня́ть) to
  excuse
извиня́ть (извини́ть) to excuse
издава́ть (изда́ть) to publish, to
  issue
изда́ние edition
изда́тельство publishing house
изда́ть (pf. of издава́ть) to publish,
  to issue
излага́ть (изложи́ть) to explain, to
  expound
изложи́ть (pf. of излага́ть) to explain, to expound
изобрета́тель (m.) inventor
и́ли or
име́ть to have
  име́ть де́ло с to deal with
  име́ть ме́сто to take place, to
  occur
име́ться to be
империалисти́ческий imperialist
  (adj.)
и́мя (n.) name
инжене́р engineer
инициати́ва initiative

иногда́ sometimes
ино́й other, different
иностра́нный foreign
институ́т institute
интерве́нция intervention
интере́сный interesting
Интернациона́л Internationale
ио́н ion
исключи́тельный exclusive
иску́сственный artificial
иску́сство art
испа́нский Spanish
испо́льзовать (imp. & pf.) to use,
  to make use of
иссле́дование investigation, research
иссле́довательский (adj.) research
исто́рик historian
истори́ческий historical
исто́рия history
исчеза́ть (исче́знуть) to disappear
исче́знуть (pf. of исчеза́ть) to disappear
ита́к consequently, and so
и т.д. (и так да́лее) etc., and so
  forth
их their, theirs
ию́нь (m.) June

К

к (ко) towards, to
ка́ждый each
каза́ться (показа́ться) to seem
как how, as
  так как since
  как . . . так и both . . . and
како́й which, what kind of; what,
  what a . . .!
ка́лий potassium
кандида́т candidate
капитали́ст capitalist
капиталисти́ческий capitalistic
капитули́ровать (imp. & pf.) to
  capitulate
каса́ться (+ gen.) to concern
  что каса́ется (+ gen.) as far
  as . . . is concerned

ка́чество quality
   в ка́честве as, in the capacity of
класс class
класси́ческий classical
кла́ссовый class (adj.)
класть (положи́ть) to put
кни́га book
когда́ when
ко́лба flask, retort
коле́блющийся vacillating
коли́чество quantity
кома́ндование command
коми́ссия commission
комите́т committee
коми́чески comically
коми́ческий comical
коммунисти́ческий communist (adj.)
компози́тор composer
коне́ц (gen. конца́) end
   с нача́ла до конца́ from beginning to end
конститу́ция constitution
костю́м suit
кото́рый which
кра́йний extreme (adj.)
   по кра́йней ме́ре at least
кре́пкий firm, strong
крива́я a curve
криво́й curved
кри́тик critic
критикова́ть to criticize
круг circle
кругово́й circular
кру́пный large, coarse
Крым Crimea
кто who
куда́ where (whither)
культу́ра culture

Л

лаборато́рия laboratory
ла́мпа lamp
ле́вый left
лёгкий light, easy
лежа́ть to lie
лета́ть (hab.) to fly

лете́ть (полете́ть) to be flying, to fly
ле́то summer, year
литерату́ра literature
лить (поли́ть) to pour
лицеме́рный hypocritical
лицо́ person, face
ли́чный personal
луна́ the moon
лу́чший better
люби́ть (полюби́ть) to love, to like
любо́й any (you like), whichever you please
лю́ди people

М

ма́ленький small
ма́ло little, few
ма́сса mass
матема́тика mathematics
математи́ческий mathematical
материа́льный material (adj.)
маши́на machine
ме́дленный slow
ме́жду between, among
междунаро́дный international
межплане́тный interplanetary
ме́ра measure
   по кра́йней ме́ре at least
   по ме́ре того́ как in proportion to, as
ме́сто place
   име́ть ме́сто to take place
ме́сяц month, moon
мета́лл metal
метаморфо́за metamorphosis
ме́тод method
метр meter (unit of length)
мечта́ть to dream
микроско́п microscope
ми́нус minus
мину́та minute
мир world, peace
мирово́й world (adj.)
мно́го much, many
могу́щество power, might
мо́жно it is possible, one may

мой my, mine
молекула molecule
молодёжь (f.) youth, young people
молодой young
моральный moral (adj.)
море sea
Москва Moscow
мотор motor
мочь (смочь) to be able
  может быть maybe, possibly, perhaps
мощный mighty
муж husband
музей museum
мы we
мысль (f.) thought, idea
мятеж rebellion
мятежник rebel

Н

на on, onto, at
нагреть (pf. of греть) to heat, warm
над (надо) over, above
надо it is necessary
наёмный hired
назад backwards
  тому назад ago
название name
назвать (pf. of называть) to call, name
называть (назвать) to call, to name
  так называемый so-called
найти (pf. of находить) to find
наоборот on the contrary
напечатать (pf. of печатать) to print
написать (pf. of писать) to write
направить (pf. of направлять) to direct, to guide
направление direction
направлять (направить) to direct, to guide
например for example
народ people, nation
народный popular, national

настоящий real, present (adj.)
  в настоящее время at the present time
натрий sodium
наука science, knowledge
научить (pf. of учить) to teach
научный scientific
находить (найти) to find
национальный national
нация nation
начало beginning
  с начала до конца from beginning to end
начать(ся) [pf. of начинать(ся)] to begin
начинать(ся) [начать(ся)] to begin
наш our, ours
не not
небесный heavenly, celestial
негр negro
недавно recently
неделя week
недоразумение misunderstanding
нежели than
независимый independent
неизвестный unknown
некоторый a certain
нельзя it is impossible, forbidden
немец (gen., немца) a German
немецкий German (adj.)
ненавидеть (возненавидеть) to hate
необходимый necessary, indispensable
неодинаковый unequal
неравный unequal
несколько several, some, a few
несмотря на (+ acc.) in spite of, despite
нести (понести) to be carrying, to carry
нет no
ни . . . ни . . . neither . . . nor . .
низкий low
никогда never
никто no one
ничего nothing

но́вый new
носи́ть (*hab.*) to carry, to bear (by hand; to wear (clothes)
ночь (*f.*) night
ну́жный necessary

О

о (об, обо) about, concerning
о́ба (*m., n.*), о́бе (*f.*) both
обеспе́чение guarantee
обеспе́чивать (обеспе́чить) to guarantee, to secure
обеспе́чить (*pf. of* обеспе́чивать) to guarantee, to secure
оби́деть (*pf. of* обижа́ть) to offend
оби́дный offensive, insulting
обижа́ть (оби́деть) to offend
обнима́ть (обня́ть) to embrace
обня́ть (*pf. of* обнима́ть) to embrace
обознача́ть (обозна́чить) to denote
обозна́чить (*pf. of* обознача́ть) to denote
о́браз form, manner
  гла́вным о́бразом chiefly
  таки́м о́бразом thus, in this way
обрати́ть (*pf. of* обраща́ть) to turn, to return, to transform
обраща́ть (обрати́ть) to turn, return, to transform
  обраща́ть внима́ние на to pay attention to
обсервато́рия observatory
обще́ственный social
о́бщество society
о́бщий public, common
объясни́ть (*pf. of* объясня́ть) to explain
объясня́ть (объясни́ть) to explain
ого́нь (*gen.* огня́) (*m.*) fire
одна́ко however
о́зеро lake
означа́ть (озна́чить) to denote, to designate
озна́чить (*pf. of* означа́ть) to denote, to designate
о́коло near

окружа́ть (окружи́ть) to surround
окружи́ть (*pf. of* окружа́ть) to surround
окру́жность (*f.*) circumference
он he, it
она́ she, it
они́ they
оно́ it
описа́ть (*pf. of* опи́сывать) to describe
опи́сывать (описа́ть) to describe
определе́ние definition
опубликова́ть (*pf. of* публикова́ть) to publish
о́пыт experiment, experience
орби́та orbit
о́рган organ, member
организа́ция organization
освобожде́ние emancipation
о́сень (*f.*) autumn
осма́тривать (осмотре́ть) to inspect
осмотре́ть (*pf. of* осма́тривать) to inspect
основа́ть (*pf. of* осно́вывать) to found
основно́й basic, primary
осно́вывать (основа́ть) to found
остально́й remaining
осуществи́ться (*pf. of* осуществля́ться) to be achieved, to be realized
осуществля́ться (осуществи́ться) to be achieved, to be realized
от (ото) from, away from
отве́т answer
отдава́ть (отда́ть) to give, to give up
отда́ть (*pf. of* отдава́ть) to give, to give up
отделе́ние department, branch; separation
отде́льный separate
оте́ц (*gen.* отца́) father
открыва́ть (откры́ть) to open, to discover
откры́тие discovery
откры́тый open

откры́ть (*pf. of* открыва́ть) to open, to discover
отку́да whence
отли́чие difference
  в'отли́чие от unlike, in contrast to
отли́чный excellent
отме́тить (*pf. of* отмеча́ть) to note
отмеча́ть (отме́тить) to note
отнести́ (*pf. of* относи́ть) to remove
относи́ть (отнести́) to remove
относи́ться (отнести́сь) to relate, to regard, to concern
  относи́ться к to relate to, to regard, to have an attitude towards
отноше́ние relation
  по отноше́нию к with reference to
о́трасль (*f.*) branch
очеви́дный evident, obvious
о́чень very
оши́бка error

П

па́дать (пасть, упа́сть) to fall
парла́мент parliament
па́ртия party
пасть (*pf. of* па́дать) to fall
первонача́льный primitive
пе́рвый first
перевести́ (*pf. of* переводи́ть) to translate
  перевести́ на (+ *acc.*) to translate into
переводи́ть (перевести́) to translate
  переводи́ть на (+ *acc.*) to translate into
пе́ред (пе́редо) before, in front of
пери́од period
периоди́ческий periodic
печа́тать (напеча́тать) to print
писа́тель (*m.*) writer
писа́ть (написа́ть) to write
письмо́ letter

пла́мя (*n.*) flame
план plan
планта́тор plantation owner
пла́стика plastic
плохо́й bad
плюс plus
по along, according to, on
побе́да victory
побежа́ть (*pf. of* бежа́ть) to run
побеспоко́ить (*pf. of* беспоко́ить) to disturb, to trouble
поби́ть (*pf. of* бить) to hit
поборо́ться (*pf. of* боро́ться) to struggle
повезти́ (*pf. of* везти́) to transport
пове́рить (*pf. of* ве́рить) (+ *dat.*) to believe
пове́рхность (*f.*) surface
повести́ (*pf. of* вести́) to lead
по́весть (*f.*) short novel
пови́снуть (*pf. of* висе́ть) to hang
поговори́ть (*pf. of* говори́ть) to speak
под (подо) under
по́длинный real, authentic, original
подо́бный like, similar
пое́хать (*pf. of* е́хать) to go (*except on foot*)
пози́ция position
пойти́ (*pf. of* идти́) to go
показа́ть (*pf. of* пока́зывать) to show
показа́ться (*pf. of* каза́ться) to seem
пока́зывать (показа́ть) to show
поколе́ние generation
пол floor; sex
по́ле field
поле́зный useful
полете́ть (*pf. of* лете́ть) to fly
поли́тика policy, politics
полити́ческий political
поли́ть (*pf. of* лить) to pour
поли́ция police
полови́на half
положе́ние position
положи́ть (*pf. of* класть) to put

получа́ть (получи́ть) to receive, to obtain, to get

получи́ть (*pf. of* получа́ть) to receive, to obtain, to get

по́льза benefit, advantage

в по́льзу in favor of

по́льзоваться (воспо́льзоваться) (+ *instr.*) to use, to take advantage of

По́льша Poland

полюби́ть (*pf. of* люби́ть) to love, to like

по́мнить (вспо́мнить) to remember

понести́ (*pf. of* нести́) to carry

понима́ть (поня́ть) to understand

поня́тие concept

поня́ть (*pf. of* понима́ть) to understand

попроси́ть (*pf. of* проси́ть) to request, beg

пора́ time, season

с тех пор since then

порабо́тать (*pf. of* рабо́тать) to work

поравня́ться (*pf. of* равня́ться) to equal

порт port

по-ру́сски (*adv.*) in Russian, Russian

поря́док (*gen.* поря́дка) order

поско́льку

постольку . . . поско́льку inasmuch

посла́ть (*pf. of* посыла́ть) to send

по́сле after

последи́ть (*pf. of* следи́ть) за (+ *instr.*) to watch

после́дний last

за после́днее вре́мя lately, recently

послужи́ть (*pf. of* служи́ть) to serve

посмотре́ть (*pf. of* смотре́ть) на (+ *acc.*) to look at

поспа́ть (*pf. of* спать) to sleep

посто́льку

постольку . . . поско́льку inasmuch

постоя́нный constant

постоя́ть (*pf. of* стоя́ть) to stand

постро́ить (*pf. of* стро́ить) to construct, to build

посыла́ть (посла́ть) to send

потому́ что because

потруди́ться (*pf. of* труди́ться) to toil

потяну́ть (*pf. of* тяну́ть) to pull

почему́ why

почти́ almost

почто́вый postal

поэ́тому therefore

прави́тельственный government, governmental

прави́тельство government

пра́вить to drive, rule

пра́во law, right

по пра́ву by rights

пра́вый right

пра́ктика practice

преврати́ться (*pf. of* превраща́ться) to be transformed

превраща́ться (преврати́ться) to be transformed

предотвраще́ние prevention, averting

предполага́ть (предположи́ть) to suppose, to propose

предположи́ть (*pf. of* предполага́ть) to suppose, to propose

представи́тельный representative (*adj.*)

предста́вить (*pf. of* представля́ть) to present

представле́ние representation, performance

представля́ть (предста́вить) to present

представля́ть себе́ to imagine

президе́нт president

прекра́сный excellent

преобразова́ться (*pf. of* преобразо́вываться) to turn into

преобразо́вываться (преобразова́ться) to turn into

при in the presence of, during the time of

при э́том moreover, in addition

приготóвить (*pf. of* готóвить) to prepare

призна́ние acknowledgment, confession

прийти́ (*pf. of* приходи́ть) to arrive

прийти́сь (*pf. of* приходи́ться) to have to

прикрыва́ть (прикры́ть) to cover, to screen

прикры́ть (*pf. of* прикрыва́ть) to cover, to screen

приме́р example

приме́рный approximate

принадлежа́ть to belong

принести́ (*pf. of* приноси́ть) to bring

принима́ть (приня́ть) to take, to accept, to receive

принима́ть во внима́ние• to take into consideration

принима́ть уча́стие в to take part in

приноси́ть (принести́) to bring

приня́ть (*pf. of* принима́ть) to take, to accept, to receive

прира́внивать (приравня́ть) to equalize

приравня́ть (*pf. of* прира́внивать) to equalize

приро́дный natural, innate

приходи́ть (прийти́) to arrive

приходи́ться (прийти́сь) to have to

причи́на reason, cause

прия́тный pleasant

пробле́ма problem

провести́ (*pf. of* проводи́ть) to draw, to enact, to conduct; to spend (*time*)

проводи́ть (провести́) to draw, to enact, to conduct; to spend (*time*)

провозглаше́ние proclamation, declaration

прогресси́вный progressive

продолже́ние continuation

произведе́ние production, work

произвести́ (*pf. of* производи́ть) to produce

производи́ть (произвести́) to produce

проси́ль (попроси́ть) to request, beg

прости́ть (*pf. of* проща́ть) to forgive

просто́й simple

простра́нство space

про́тив against

противополо́жный opposite

профе́ссор professor

проце́сс process

проче́сть (*pf. of* чита́ть) to read

прочита́ть (*pf. of* чита́ть) to read

проща́ть (прости́ть) to forgive

проявле́ние manifestation

пряма́я straight line

прямо́й straight

публикова́ть (опубликова́ть) to publish

пусть let!

путь (*m.*) way, path

Р

раб slave

рабовладе́лец slave-owner

рабовладе́льческий slave-owning

рабо́та work, task

рабо́тать (порабо́тать) to work, to function

рабо́чий working (*adj.*); worker (*noun*)

ра́бство slavery

равнове́сие equilibrium

равнопра́вие equality

ра́вный equal

равня́ться (поравня́ться) to equal

ра́дий radium

ра́дио radio

ра́диус radius

раз time (occasion)

разли́чие distinction

разли́чный various

разме́р size

ра́зница difference

разнообра́зный diverse

ра́зный various, different

разуме́ться to be understood

   само́ собо́й разуме́ется it goes without saying

райо́н region

раке́та rocket

ра́нить (*imp. & pf.*) to wound

ра́нний early

ра́са race

раскрыва́ть (раскры́ть) to uncover, reveal

раскры́ть (*pf. of* раскрыва́ть) to uncover, to reveal

расска́з short story

рассма́тривать (рассмотре́ть) to examine, to inspect

рассмотре́ть (*pf. of* рассма́тривать) to examine, to inspect

расстоя́ние distance

раство́р solution

реакцио́нный reactionary

реа́кция reaction

ре́дкий rare

результа́т result

рели́гия religion

репута́ция reputation

респу́блика republic

республика́нский republican

речь (*f.*) speech

   речь идёт о (+ *prep.*) the question concerns

реша́ть (реши́ть) to decide, to solve

реше́ние solution

реши́ть (*pf. of* реша́ть) to decide, to solve

рису́нок (рис.) figure (fig.)

роди́ться (*pf. of* рожда́ться) to be born

рожда́ться (роди́ться) to be born

роль (*f.*) role, part

рома́н novel

Росси́я Russia

рука́ hand

руково́дство direction

ру́копись (*f.*) manuscript

ру́сский Russian

C

с (со) from, from off of, since, with, in the company of

сам myself, yourself, *etc.*

   само́ собо́й разуме́ется it goes without saying

самолёт airplane

самостоя́тельный independent

свести́сь (*pf. of* своди́ться) к (+ *dat.*) to be reduced to, to come down to

свида́ние meeting, rendezvous

   до свида́ния goodbye

свобо́да liberty, freedom

своди́ться (свести́сь) к (+ *dat.*) to be reduced to, to come down to

свой my (own), thy (own), his (own), her (own), its (own), our (own), your (own), their (own)

связа́ть (*pf. of* свя́зывать) to connect, to join

свя́зывать (связа́ть) to connect, to join

связь (*f.*) connection, tie

   в связи́ с in connection with

сде́лать (*pf. of* де́лать) to make, to do

себя́ self

   само́ собо́й разуме́ется it goes without saying

сего́дня today

сигна́л signal

си́ла force, power

си́ний blue

систе́ма system

скептици́зм skepticism

ско́лько how much, how many

сконча́ться (*pf.*) to die

ско́рость (*f.*) velocity

сла́ва fame

следи́ть (последи́ть) за (+ *instr.*) to keep track of, to watch

сле́довать to follow, to be necessary

   сле́дует отме́тить it must be noted, one must note

слова́рь (*m.*) vocabulary, dictionary

сло́во word

   по слова́м according to

сло́жный complex

служа́щий employee

служи́ть (послужи́ть) to serve

слу́чай case

   во вся́ком слу́чае in any case

слы́шать (услы́шать) to hear

см. (смотри́те) see

смерте́льный mortal

смерть (*f.*) death

смесь (*f.*) mixture

смотре́ть (посмотре́ть) на (+ *acc.*) to look at

   см. вы́ше (смотри́те вы́ше) see above

смочь (*pf. of* мочь) to be able

смысл sense, meaning

снача́ла at first, to begin with

сно́ва again, anew

собра́ние collection, meeting

собы́тие event

сове́т council

Сове́тский Сою́з Soviet Union

совреме́нный contemporary, modern

совсе́м quite, entirely

создава́ть (созда́ть) to create

созда́ние creation

созда́ть (*pf. of* создава́ть) to create

созна́тельный conscious

соль (*f.*) salt

сообща́ть (сообщи́ть) to communicate

сообще́ние communication

сообщи́ть (*pf. of* сообща́ть) to communicate

соотве́тствовать to correspond, correlate

сопротивле́ние resistance

соста́в composition

соста́вить (*pf. of* составля́ть) to compose

составля́ть (соста́вить) to compose

состоя́ть to consist

со́хнуть (вы́сохнуть) to grow dry, to dry up

сохрани́ться (*pf. of* сохраня́ться) to be preserved, to be kept, to be saved

сохраня́ться (сохрани́ться) to be preserved, to be kept, to be saved

социали́зм socialism

социалисти́ческий socialistic

социа́льный social

сочине́ние work, composition

спать (поспа́ть) to sleep

специа́льность (*f.*) specialty

спу́тник satellite

сра́зу at once

среди́ among

сре́дство means

СССР U.S.S.R.

ста́нция station

станови́ться (стать) to become

ста́рый old

стать (*pf. of* станови́ться) to become; to begin

стекло́ glass

стол table

сторона́ side

   с одно́й стороны́ . . . с друго́й on the one hand . . . on the other

сторо́нник partisan, supporter

стоя́ть (постоя́ть) to stand

страна́ country

страни́ца page

стреми́ться (устреми́ться) to strive

стро́ить (постро́ить) to construct, to build

строй order, regime

структу́ра structure

студе́нт student

ступа́ть (ступи́ть) to stride, to step

ступи́ть (*pf. of* ступа́ть) to stride, to step

судьба́ fate

существова́ние existence

существова́ть to exist

су́щность (*f.*) essence

   в су́щности in essence

счёт bill, account
   за счёт (+ *gen.*) at the expense
   of
США U.S.A.
сыгра́ть (*pf. of* игра́ть) to play
   сыгра́ть роль to play a part
сырьё raw material
сюда́ here, hither

Т

табли́ца table
так so, so much, thus
   так как since
   как . . . так и both . . . and
   так называ́емый so-called
та́кже also
тако́й such
там there
танк tank
т.е. (то есть) i.e., that is
теа́тр theater
театра́льный theatrical
текст text
телефо́нный telephone (*adj.*)
те́ло body
температу́ра temperature
теоре́ма theorem
тео́рия theory
тепе́рь now
те́хник technician, craftsman
те́хника technics, technique
техни́ческий technical
тип type
това́рищ comrade
тогда́ then, at that time
то́лько only
том volume, tome
тому́ наза́д ago
тот, та, то that
   т.е. (то есть) i.e., that is
   тому́ наза́д ago
то́чка point
то́чность (*f.*) accuracy, exactness
   в то́чности exactly
траге́дия tragedy
тради́ция tradition

траекто́рия trajectory
тре́ние friction
треть (*f.*) a third
тро́гать (тро́нуть) to touch
тро́нуть (*pf. of* тро́гать) to touch
труд labor
труди́ться (потруди́ться) to toil
тру́дный difficult
трудя́щийся toiler, one who toils
турби́на turbine
тут here
ты thou, you (*fam. sing.*)
тяжёлый heavy
тяну́ть (потяну́ть) to pull

У

у by, at, near
уви́деть (*pf. of* ви́деть) to see
уже́ already
   уже́ не no longer
узбе́кский Uzbek (*adj.*)
узнава́ть (узна́ть) to find out
узна́ть (*pf. of* узнава́ть) to find out
указа́ть (*pf. of* ука́зывать) to indicate, to show
ука́зывать (указа́ть) to indicate,
   to show
укрепле́ние strengthening
улета́ть (улете́ть) to fly away
улете́ть (*pf. of* улета́ть) to fly away
у́лица street
умере́ть (*pf. of* умира́ть) to die
уме́ть to know how to
умира́ть (умере́ть) to die
у́мный intelligent, wise
унести́ (*pf. of* уноси́ть) to carry
   off
университе́т university
уноси́ть (унести́) to carry off
упа́сть (*pf. of* па́дать) to fall
упра́вить (*pf. of* управля́ть) to
   direct, to manage
управле́ние administration
управля́ть (упра́вить) to direct, to
   manage
уравне́ние equation

у́ровень (*gen.* у́ровня) (*m.*) level
уро́к lesson
усло́вие condition
услы́шать (*pf. of* слы́шать) to hear
успе́шный successful
устана́вливать (установи́ть) to establish
установи́ть (*pf. of* устана́вливать) to establish
устрани́ть (*pf. of* устраня́ть) to remove, to eliminate
устраня́ть (устрани́ть) to remove, to eliminate
устреми́ться (*pf. of* стреми́ться) to strive
утра́та loss
утра́тить (*pf. of* утра́чивать) to lose
утра́чивать (утра́тить) to lose
у́тро morning
уча́стие participation
принима́ть уча́стие в (+ *prep.*) to take part in
учёный (*noun & adj.*) scientist; scientific
учи́ть (научи́ть) to teach; (вы́учить) to learn
учрежде́ние establishment, institution

Ф

фа́брика factory
факт fact
фаши́стский Fascistic
фи́зик physicist
фи́зика physics
физи́ческий physical
филиа́л affiliated branch
филосо́фия philosophy
фо́рма form, shape
фо́рмула formula
форт fort
Фра́нция France
францу́з Frenchman
францу́зский French
фронт front
фут foot

Х

хара́ктер character
хи́мик chemist
хими́ческий chemical
хи́мия chemistry
ходи́ть (*hab.*) to go
холо́дный cold
хоро́ший good
хорошо́ (*adv.*) well
хоте́ть (захоте́ть) to want, to wish

Ц

цари́ца empress
царь tsar
цвет color
цена́ price
це́нный valuable
центр center

Ч

час hour
ча́стность (*f.*) particularity
в ча́стности in particular
ча́сто often
часть (*f.*) part
бо́льшею ча́стью for the most part
челове́к person, man
челове́чество mankind
чем than
че́рез through, by
че́тверть (*f.*) a quarter, fourth
число́ number
чита́тель (*m.*) reader
чита́ть (прочита́ть, проче́сть) to read
член member
что what; that (*conj.*)
что каса́ется (+ *gen.*) as far as . . . is concerned
потому́ что because
чтобы that, in order that
для того́, чтобы in order to

Ш

ширина́ width
широ́кий wide, broad

штат   state
шумéть (зашумéть)   to make noise

Э

экзáмен   examination
эконóмика   economics
экономи́ческий   economic
злемéнт   element
энéргия   energy
энциклопéдия   encyclopedia
эскáдра   squadron
э́то   it is, there are
э́тот, э́та, э́то   this
   при э́том   moreover, in addition

Ю

ю́жный   south (adj.), southern
юриди́ческий   juridical

Я

я   I
яви́ться (pf. of явля́ться)   to appear,
   to be
явлéние   phenomenon
явля́ться (яви́ться)   to appear, to
   be
язы́к   language, tongue
январь (m.)   January

INDEX

For Grammatical References See Also Vocabularies

Accent (*see* Stress)
Accusative:
  of adjectives, 10
  of nouns:
    animate, 18
    inanimate, 9
    plural, 55
  use of, 10
Actual verb pairs, 46
Adjectives: (*see also* Degrees of
  comparison)
  accusative, 10
  attributive, до́лжен, 102–103
  attributive comparative, 79–80
  dative, 30
  declensions:
    endings, 152
    hard plural, 56
    soft plural, 56–57
    tables of, 49, 152
  genitive, 16
  hard, 3
  instrumental, 38
  mixed, 3–4 (*see also* Appendix
    A)
  nominative, 3
  numeral one, 70
  of quantity, 92–93
  ordinal numerals, 112–113
  participles:
    past, 122–124
    past active, 98–100
    present active, 90–91
    present passive, 110–111
  position of, 4
  possessive pronoun, 81–82
  predicate, 78
  prepositional case of, 24
  short, 78
  soft, 3
  superlative, 91
  used as nouns, 145
Adverbs: (*see also* Degrees of
  comparison)
  comparative, 80
  formation of, 23

Adverbs (*cont.*)—
  instrumental, 38
  of quantity, 92–93
  superlative, 92
  verbal (gerunds), 133–134
All, the whole: весь, вся, всё, все
  declension of, 80–81
Alphabet:
  printed, iii
  pronunciation, iii
Animate nouns, 18, 55
Appendix, 155–170
Article:
  definite, 1
  indefinite, 1

Be, to (*see* Verbs)
Both: о́ба, о́бе, 102

Cardinal numerals:
  addition, subtraction, multipli-
    cation, and division of, 112
  compound, 101–102
  declensions, 100–101
  prefix пол-, 111
Case endings, irregular, 156
Cases (*see* Accusative, Dative, Genitive, Instrumental, Nominative, and Prepositional)
Clauses, subordinate, 146–147
Collective numerals, 137–138
Comparative degree (*see* Degrees of
  comparison)
Compound numerals, 101–102
Conditional mood, 134–135
Conjugations:
  first, 8–9, 21–23, 40, 44
    monosyllabic, 22–23
  second, 8–9, 40, 44
Conjunction: как, 69
Consonants:
  palatalized (soft), iv–v
  unpalatalized (hard), iv–v
  voiced, vi–vii
  voiceless, vi–vii
Constructions, impersonal, 76–77

187

NTC RUSSIAN BOOKS

NTC *NATIONAL TEXTBOOK COMPANY* • Skokie, Illinois 60076